梅と水仙

Ume to Suisen

植松三十里

Uematsu Midori

The ocean wide and bleak before me lay;
Naught o'er and round me but the dusky sky
And waters deep and dark; the loud shrill cry
Of sea-gulls into silence died away;
With fear I saw the fading light of day,
And thro' the darkness dim of eve watched I
How wind and waves did roughly vie
Our ship to toss, as if with toy they played.
Yet knew I well that o'er those stormy seas,
The skilful pilot guides the vessel frail,
Ere long to reach the distant promised land.
So in the fitful changes of the breeze
As o'er life's stormy main we darkly sail,
With faith we trust our Father's guiding hand.

PHP

梅と水仙　目次

装丁　芦澤泰偉
装画　ヤマモトマサアキ

一　仙の農場

牛込南御徒町の拝領屋敷で、津田仙は太い腕を組み、苛立ちをこらえながら待っていた。

かたわらに座った義兄の津田源八も、しきりに貧乏ゆすりをしている。

屋敷のいちばん奥まった部屋で、仙の妻である初が、今まさに陣痛と戦っていた。

すると大きな泣き声が聞こえた。とたんに仙も源八も腰を浮かせた。

「生まれたかッ」

「男かッ、女かッ」

奥から、ばたばたと駆けてくる足音が聞こえる。泣き声も近づく。

現れたのは、お産を手伝っていた源八の妻、咲だ。仙は仁王立ちになって聞いた。

「男かッ？　男だなッ？」

だが咲は怒鳴るようにして答えた。

「まだですよッ。まだ生まれちゃいませんよッ」

そう言いながら、おぶい紐の結び目を手早くほどいて、泣いている琴（こと）を背中から下ろした。琴は一昨年に生まれた仙の長女だ。

「なんだよ、琴の声か」

仙が舌打ちすると、咲は泣き続ける琴を、自分の夫に押しつけた。

「ちょっと琴を、お願いします。初さん、今にも生まれそうなんですから」

身軽になったとたん、咲は、また奥に突っ走っていった。

残された源八は、琴を抱いたまま立ち上がり、上手にあやし始めた。

「おー、泣くな、泣くな。もうじき、おまえの弟が生まれるからな。待ってろよォ」

もともと仙が入婿（いりむこ）で、初が家つき娘だが、初の兄である源八と咲の夫婦も近くに所帯を持っている。源八夫婦には子供がなく、姪（めい）に当たる琴を、わが子のように可愛がる。

ようやく琴が泣き止んだ時、奥から、赤ん坊の泣き声が聞こえてきた。今度こそ生まれたに違いない。

仙も源八も廊下まで出て待ちかまえた。だが奥からは何も言ってこない。源八が苛立って、大声をかけた。

「おおい、咲、生まれたのか」

赤ん坊の泣き声は続いており、生まれたのは確かだ。

すると奥から、また咲が姿を現した。肩を落とし、疲れ切った様子だ。仙は嫌な予感がした。

「どうだった？　男か、女か」

するとと咲は廊下を歩いてきて、投げやりに言った。

「女の子、でした」

いきなり仙は叫んだ。

「くっそお、また女かッ」

咲が慌てて、なだめにかかる。

「でも元気な子ですよ。初さんも元気だし」

仙は耳を貸す気にもなれない。

「初のやつ、今度こそ男を産めと言ったのにッ」

仙は肩をいからせ、大股で玄関に向かった。大柄で体重も重いために、古い拝領屋敷の床が、ぎしぎしと鳴る。

源八が琴を抱いたまま、追いかけてきて聞いた。

「おい、どこに行くんだ？」

仙は、はき捨てるように答えた。

「善福寺ですよ。仕事が溜まってるんでね」

麻布の善福寺にはアメリカ公使館が置かれており、仙は幕府から派遣されて公式通詞を務めている。

源八が引き止める。

「待てよ。名前くらいつけて行け」

「女の名前なんか考えていませんよ。なんでもいいから適当につけといてください」

咲も、おろおろと言う。

「せめて顔くらい、見ていってくださいな」

そんな気にもなれず、玄関の引き戸を手荒く開けて、外に飛び出した。

ペリーの黒船来航から十一年が経った元治元年（一八六四）の師走三日、牛込の往来には、寒風が吹きすさんでいた。

どうしても男児が欲しかった。仙が懸命に手に入れた通詞の役目は、女では引き継げないのだ。

「くそッ、ふたり続けて女かッ」

文句を言い捨てて、寒さに大きな背中を丸め、早足に麻布に向かった。

仙が生まれ育ったのは下総は佐倉城下で、もとの名は千弥といい、仙弥と書いたこともある。父親は佐倉藩、堀田家の家臣だった。

藩主の堀田正睦は名君として名高く、ちょうど仙が生まれた頃に、幕府老中の座に就いていた。もともと蘭学に造詣の深い大名で、特にオランダ医術を保護した。

藩校では、武士の基本的な教養だった漢学のほかに、蘭学も教えていた。仙は十五歳で入学し、ここで西洋文化に触れた。

二年後、ペリーの黒船来航があった。それにともなって佐倉藩では、一層、蘭学が重視された。

藩校で優秀な成績を収めた仙は、江戸詰めの書生に選ばれ、下屋敷で暮らして、江戸市中で名のある蘭学塾に通った。

遠く長崎ではペリー来航の五年前に、蘭通詞たちがアメリカの漂流民から、英語の手ほどきを受けたことがあった。これによって日本の英語学習が始まり、江戸に英学塾が開かれた。

仙は蘭学だけでは飽き足らず、二十一歳の時に、そんな英学塾にも入門した。

二十四歳になると、幕府初の使節団がアメリカに送られることになり、幕府軍艦の咸臨丸による太平洋横断航海が決まった。

仙は、なんとか英通詞として参加したかったが、すでに堀田が老中を退いており、望みはかなわなかった。

その後、アメリカ公使館づきの英通詞が足りないことを耳にした。

当時は攘夷斬りが横行しており、ロシアの海軍人からアメリカ公使の秘書官、公使館の下働きの日本人まで、次々と殺害されていた。

アメリカ公使館は麻布の善福寺に置かれていたが、そんな危険な役目には、誰もつきたがらない。

だが仙は、あえて志願した。ただし幕府直参（じきさん）でなければ、公式な通詞にはなれない。佐倉藩士の立場では不可能だった。

すると幕府の御徒衆（おかちしゅう）だった津田家への、婿入り話が舞い込んできたのだ。当主である源八は御徒衆を務めているが、夫婦に子供ができないため、家の先行きが不安だった。そこで婿養子を迎えることにしたのだった。

とんとん拍子に縁談はまとまり、仙は二十五歳で津田家に入り、兄夫婦と妻となった初との四人で同居を始めた。

そして望み通り、幕府の外交方で通詞の役を得て、アメリカ公使館に配属された。以来、公使のタウンゼント・ハリスや、漢文のできるアメリカ人秘書官などと身近に接し、会話のみならず、外交文書の読み書きまで、積極的に身につけた。

命を狙われるような仕事ではあったが、仙は、それだけの価値を見出していた。時代は大きな変換期を迎えており、外交は重要性を増していた。自分は日本のために働いているという満足感があったのだ。

ハリスが任期を終えて帰国し、ロバート・プリュインという新任の公使が来日した頃、琴を授かった。

しかし仙は不満だった。男でなければ通詞はもちろん、日本のためになるような大きな仕事ができない。佐倉藩士の身分では幕府の役目につけないのと同様、女では話にならなかった。仙は自分自身が上り調子で、自信に満ちていたからこそ、どうしても男の子が欲しかった。自分の息子にも、同じ坂道を駆け上がらせたかったのだ。

ふたりめも女児だったと知ってから、仙は善福寺に泊まり込み、十日も牛込の家に帰らなかった。

師走(しわす)も半ばになってしまい、さすがにプリュインから帰らない理由を聞かれた。仙が不機嫌顔で事情を打ち明けると、プリュインは、ゆっくりとした英語で諭(さと)した。

――仙、いちどアメリカに行ってみるといい。アメリカでは女性の地位が高い。女の子が生まれたからと言って、嘆く親などいない――

しかたなく仙は家に帰った。

すると妻が胸元をはだけて、真っ赤な顔の赤ん坊に乳をやっていた。

「あの」

初は遠慮がちに聞く。

「なんだ?」

「梅(うめ)って名前をつけましたけど、よかったでしょうか。ちょうど梅の花が咲いたので」

初は床の間を目で示した。そこには白梅の盆栽が飾られており、二、三輪が開花していた。

「まあ、いい。名前なんか、なんでも」

すると初が泣き出しそうになった。仙は言葉が過ぎたと気づいて、言い直した。

「いや、いい名前だ。梅は香りもいいし、だいいち可愛らしいよな」

少し白々しい気もしたが、初は泣き笑いの顔になった。仙は、また調子づいて言った。

「次こそは男だぞ。いいな」

初は口元を引き締めて、しっかりとうなずいた。

その後、源八夫婦が、せめて女児でも欲しいと望んだので、琴を夫婦の養女にやった。いずれは婿を迎えて、御徒衆の役目を譲りたいという。

待望の男児が授かったのは、仙が三十歳の時だった。八朔と名づけ、家中が大喜びした。

もうひとつの望みだった渡米が実現したのは、その翌年である三十一歳の時、明治維新の前年だった。

幕府はペリー来航直後から、長崎にオランダの海軍教官団を招聘し、海軍伝習所を開いた。その後も欧米から次々と軍艦を輸入し、海軍を充実させていた。

さらなる大型軍艦の買いつけのため、その年、幕府はアメリカに少人数の使節団を送ることにした。

そこで仙は通詞兼書記官として名乗り出て、とうとう渡米の機会をつかんだのだ。この時に福沢諭吉（ふくざわゆきち）が通詞仲間になった。

諭吉は、蘭学塾として名高い大坂の適塾（てきじゅく）出身で、咸臨丸の渡米航海などにも参加しており、それが三度目の外遊だった。

使節団はニューヨーク、フィラデルフィア、ワシントンDCとまわり、フランスで建造されたストーンウォール号の購入を決めた。

この移動中、仙はアメリカの農家の豊かさや、地位の高さに目を見張った。日本の農家のように稲作一辺倒ではなく、小麦はもとより様々な野菜類や果実類を、大規模に育てて出荷し、酪農にも力を入れていた。

かつて佐倉の城下では、蘭医が牛の乳や副菜食を勧（すす）めた。嫌がる子供が多い中で、仙は牛乳を飲み、青物や根野菜（こんやさい）も好んで食べた。だからこそ大きく育ったのだと確信している。

日本人のみならず、アジア人は小柄なために、欧米人に見下（みくだ）されがちだ。そのせいもあって、東南アジア諸国では植民地化が進んでいる。日本人の体格向上は急務であり、まず必要なのが食生活の改善だった。

それに農家が豊かになることこそ、国を富ませる道に違いなかった。そのため仙はアメリカで農業の専門書や、種苗（しゅびょう）を買い入れて日本に持ち帰った。

諭吉も様々な分野の書物を買い漁（あさ）ったが、その量が使節団の中で突出していた。また期待したほど英語ができず、使節団の団長と反（そ）りが合わなかった。その結果、帰国後に書物代が公金横領とみなされて、諭吉は謹慎処分を受けたのだった。

渡米中、仙は髷が結えず、面倒になって切り落とした。勤務先がアメリカ公使館なので、特に問題にはならず、以来、着物に断髪という姿で通した。


帰国から半年後、仙は幕府の遠国奉行のひとつである新潟奉行所に異動になった。十年前に結ばれた各国との通商条約で、新潟の開港が約束されており、現地でのアメリカ人やイギリス人との交渉や書記が仕事だった。

すでに鳥羽伏見の敗戦は知らされており、不安定な時期だった。そのため初や子供たちは義兄夫婦に預けて、単身で出かけた。

江戸から会津を経て新潟に至ったが、着任の翌月には思いがけないことに、江戸城が開城してしまった。新政府軍への恭順が、江戸から奉行所にも伝えられた。

だが、それで幕府方の武士たちが、納得するはずがなかった。ほどなくして奥州諸藩が幕府方として手を結び、奥羽越列藩同盟が成立した。

仙も恭順には納得がいかず、奉行所の仲間たちに同盟軍への参加を呼びかけた。しかし応じたのは長谷川清次郎という同僚と、佐渡の役人だった山西敏弥のふたりだけだった。

七月下旬には、新政府側の軍艦が新潟港に近づき、敵兵が上陸を試みた。そこで仙は、長谷川と山西と三人で同盟軍に身を投じ、激しい銃撃戦の末に、敵の上陸を阻止した。

その夜、仙は戦勝の高ぶりのまま、ふたりを誘った。

「明日の命は、どうなるか知れないし、とりあえず今夜は勝利の祝杯を上げよう」

長谷川も山西も賛成し、三人で行きつけの料亭におもむいた。すっぽん料理で名高い老舗で、さんざん酒を酌み交わし、料理に舌鼓を打った。

長谷川が酔いにまかせて言った。

「何が新政府軍だ。ちょっと銃をぶっ放したら、尻尾を巻いて逃げやがって。ちゃんちゃらおかしいぜ」

山西も手を打って言う。

「列藩同盟の力を見ろってんだ」

酔っ払った挙げ句、銃撃戦の疲れもあって、そのまま三人とも座敷で寝入ってしまった。

だが仙は、脇腹に強烈な衝撃を受けて、目を覚ました。痛みをこらえて、まぶたをこすると、周囲が明るかった。

すでに朝になっており、はっきりと目を開けると、洋服姿の男たちに取り囲まれていた。大勢が立ったまま、冷ややかな視線で自分を見下ろしている。

頭らしき男が、もういちど脇腹を蹴り、凄みを利かせて言った。

「おめたちは幕府ん犬じゃな」

仙は、とっさに飛び起きようとした。相手の西国なまりで、新政府軍だと気づいたのだ。

だが、それを待ち構えていたかのように、いっせいに殴る蹴るが始まった。反撃しようにも刀を店に預けてあった。

長谷川たちも同様だった。多勢に無勢で、まして丸腰では何もできない。

さんざんいたぶられた挙げ句に、槍や刀を突きつけられ、気がつけば後ろ手で縛り上げられていた。そのまま三人とも縄をかけられて、連行された。

向かった先は奉行所だった。門前まで至り、思わず立ちすくんだ。門の両側には、薩摩藩の紋所の入った高張提灯が掲げられ、塀にも同じ紋所入りの幔幕が、掛けまわされていたのだ。

昨日まで自分たちのものだった役所が、よもや敵の手に落ちるとは、思ってもみなかった。仙は油断を激しく悔いた。

奉行所で氏名を確認され、その後は海岸近くの牢屋敷へと連れて行かれた。そして薄暗い牢に放り込まれたのだ。

そこで初めて新政府軍の動向を知った。薩摩藩の黒田清隆率いる軍勢が、昨夜のうちに上陸し、新潟市中を制覇したという。

三人は顔を見合わせた。全員、殴られて、ひどい顔だった。山西が投げやりな口調で言う。

「このまま殺されるんだろうな」

仙は強がった。

「まあ、殺されるとしても、昨夜、心ゆくまで飲み食いしておいて、よかったよな」

長谷川も胸を張る。

「ああ、そうとも。そのために、すっぽんを食ったんだ」

それでも内心は穏やかではなかった。

夜になると、牢の高窓から、何かが投げ入れられた。ちゃりんと金属音が響き、闇の中で駆け寄って、手探りで拾い上げてみると、南京錠の鍵だった。

奉行所の誰かが、助けに来てくれたに違いなかった。牢屋敷も昨日までは自分たちが管理しており、合鍵を新政府軍に渡さずに残しておいたらしい。

仙は見張りの目を盗んで、太い格子の間から手を伸ばし、そっと南京錠を開けた。そして忍び足で外に出た。

三人揃ったところで、仙が小声で指示した。

「港に行こう。イギリス船が入港していたはずだから、なんとか乗せてもらって逃げよう」

それから夜道を港まで突っ走った。幸運にも、途中で顔見知りのアメリカ人貿易商と出会い、口添えしてもらって、イギリス船に乗り込めた。

イギリス船は佐渡に寄港し、もともと佐渡の役人だった山西が下船した。さらに船は日本海側を北上し、津軽海峡を経て、今度は太平洋岸を南下した。

そして横浜で投錨したが、上陸してみると、新政府側の探索が厳しかった。それでも長谷川は、なんとかして江戸に戻るという。

仙は義兄の源八宛に、無事を知らせる手紙を書いて長谷川に託し、ふたたびイギリス船に乗って、ひとり長崎に向かった。

長崎なら昔からの貿易港だから、きっと英語を使う仕事がある。ほとぼりが冷めるまで潜伏するつもりだった。

長崎で仕事を探しているうちに、大浦慶という女傑の存在を知った。

ペリー来航直後に日本茶の見本を海外に送って、取り引きを始めたという。通商条約締結後は輸出量を拡大し、今や莫大な外貨を日本にもたらして、長崎では知らぬ者のない大商人だった。

女ながらも、みずから国内の茶処に出かけて、大量の茶葉を買いつけ、製茶の設備も整え、陣頭指揮を取って大勢を働かせる。西洋人とも対等に渡り合い、算盤勘定にも抜かりないという。

噂によると若い頃に清国に密航し、イギリスへの茶輸出の実態を見てきたとのことだった。清国の茶貿易は、阿片戦争当時に中断したことがあり、そのためにイギリスは別口からの茶の供給を探していた。大浦慶は、その需要に応じたのだ。

仙には驚愕だった。男たちが軍艦や銃砲の輸入にばかり右往左往しているうちに、女が輸出を考えていたとは。そもそも輸出するものがなければ、軍艦や銃砲の対価が支払えない。

仙は大浦慶と会ってみたかったが、面会を望む者は引きも切らず、姿を垣間見る(かいまみ)だけで精一杯だった。

特に美人というわけでもない。むしろ風格が漂っていた。だからこそ女の色香で男を惑わすのではなく、実力勝負の大商人であることが見て取れた。

さらに仙は女の通訳がいることにも驚いた。まるで西洋人のようにオランダ語や英語を使いこなし、貿易の手助けをしている。ロシア語に堪能(たんのう)な者もいた。

「長崎には、女のための外国語塾でもあるのか」

仙が地元の男に聞くと、また思いがけない返事だった。

「もともとは丸山(まるやま)ん遊郭(ゆうかく)ん中で、オランダ語や中国語を、禿(かむろ)たちに教えとったばい」

丸山は江戸の吉原(よしわら)、京都の島原(しまばら)に並び評される大遊郭だ。その中で、出島(でじま)のオランダ商館や唐人(とうじん)屋敷に通う遊女たちが、外国語を耳で覚えて使いこなし、後輩の少女たちに口伝えで教えたという。その禿が遊女になり、また幼い禿に教えと、それを長年に渡って繰り返してきた。

「耳で覚えた言葉やけん、発音は流暢(りゅうちょう)たい」

遊女たちは出島で見聞きしたことを、長崎奉行所や諸藩の役人たちに流した。そのために貴重な情報源だったという。

「開国してから、イギリス人やロシア人たちがやってくると、たちまち女たちは各国の言葉ば身につけたとです」

今では遊郭で年季を終えた女たちが、貿易商の通訳を務め、重宝がられているという。

「それにしても、女に外国語を覚える力などあるのか」

仙が呆然とつぶやくと、笑われてしまった。

「男ん通詞よりも、女ん方が外国語の呑み込みがよかいうことは、長崎じゃ誰でも知っとるとですよ」

女は赤ん坊の泣き声で、何を欲しているかを直感的に気づく。幼児のたどたどしい言葉も理解する。そのために言葉の能力が、もともと男よりも優れているのではないかという。

「なるほど」

仙は心底から納得した。

そういえば、軍艦の買いつけで渡米した際に、アメリカ女性の地位の高さに驚いた。確かにプリュインの言う通りだったのだ。

アメリカの妻たちは自宅で客をもてなし、夫の外交や商談がうまく進むように、上手に気遣いする。夫としても、その働きぶりを充分に心得ているから、妻をないがしろにはしない。夫婦は対等だった。

とはいえ、それは人種が違うから可能なのだと、仙は思い込んでいた。しかし長崎の女たちは、みずから商才を発揮したり、通訳を務めたり、夫の支えどころではない。

「女にもできるのか」

仙はひとり言をつぶやき、また言い直した。

「いや、女の方が優れているのか」

目から鱗が落ちたような気がした。


結局、長崎では通訳は足りており、仕事にはありつけなかった。そのため長居はせず、様子をうかがいながらも、九月には江戸に舞い戻った。

すると、ちょうど改元があり、慶応四年（一八六八）が明治元年に変わった。すでに江戸という地名も、東京に改められていた。

徳川家は駿河遠江に移封になり、旧幕臣たちの移住が始まった。仙は生まれながらの幕臣ではないし、駿河遠江では英語を活かせる機会など、ありそうにない。そのために移封には従わず、東京に残った。

しかし牛込の拝領屋敷は、否応なく新政府に返上させられた。しかたなく隅田川を渡って向島に家を借り、源八夫婦とともに引っ越した。周囲には田んぼや畑が広がっており、すっかり都落ちの気分だった。

そのうえ仕事を探すのが容易ではなかった。だが、ふとアメリカでの農家の豊かさを思い出し、外国公使館相手に西洋野菜を売ろうと思いついた。

向島の借家は敷地だけは広いし、渡米した時に買い入れた種が、まだ残っていた。そこで庭を耕して、秋蒔きのキャベツなどを育ててみた。

年が改まり、明治二年（一八六九）の春には収穫できた。意外なほどできがよかったので、かつての縁で、まずアメリカ公使館に持っていくと、喜んで買い上げてくれた。

それでも、まだまだ収穫があったので、築地にある外国人向けのホテル館にも売り込みに行くと、すべて買い取ってもらえた。

その時、たまたまアメリカ人が、フロントで声高に怒鳴っている場に出くわした。どうやら込み入った話が通じずに、苛立っているらしい。仙が助け舟を出すと、あっけなく解決した。

それを見ていた支配人が、その場で仙に声をかけた。これからも西洋野菜を納入しながら、ホテルで働かないかという。

仙は渡りに船とばかりに話に乗った。だが向島では、できた野菜を運ぶのに手間がかかる。そのため外国公使館の多い麻布辺りに、引っ越し先を探した。ちょうど新政府が大名屋敷だった土地を、一般に貸し出し始めていた。

すると三田に手頃な場所が見つかった。会津藩の下屋敷跡で、六千坪の広大な敷地に、荒れ果てた武家長屋が並んでいた。建物は使い物にならなかったが、そのために賃料が格安だったのだ。

ペリー来航のはるか前から、会津藩は幕府から江戸湾の海防を命じられていた。当時は大勢の藩士たちが、奥州の国元から江戸に出てきて、下屋敷の長屋に滞在していた。

その後、会津藩の役目は京都守護職に変わり、藩士たちの滞在先は、江戸から京都の寺院に移った。以来、下屋敷は空き家状態が続いた。

もともと下屋敷など、どこも安普請と決まっているが、会津藩では京都の守りに費用がかかって、修繕など望むべくもなかった。そんな理由もあって、ほかの大名屋敷とは比べ物にならないほど、建物が荒れていたのだ。

だが取り壊して農場にするには好都合だった。仙は思い切って借りることにし、使えそうだった建物だけ住まいとして残した。


明治四年（一八七一）には、琴が十（とお）、梅は八つになった。西洋式の満年齢でいえば、まだ梅は六歳と一ヶ月だ。

もともと日本の数字には零（ゼロ）の概念がないために、旧来の数え歳では、生まれた時が一歳になる。そして正月を迎えるたびに、誰でも、ひとつ年を重ねる。誕生日は関わりない。

梅は十二月生まれなので、生まれた翌月に正月を迎え、はや二歳という勘定になる。だから八つと言っても、同じ年の子供よりも、はるかに小さかった。

ただし読み書きには、早くから興味を持ち、棒切れで地面に上手に仮名を書く。そこで琴と一緒に、手習いに通わせてみた。すると、めきめきと上達した。

仙は、つい愚痴（ぐち）が出る。

「梅が男だったらな」

まして風邪ひとつ引かずに丈夫だ。男だったら、さぞや大きな仕事を成し遂げただろうと、残念でならない。

暖かくなると、仙は手伝いを雇い入れて、広大な敷地を耕した。苗床に種を蒔き、苗を育てて植えつけていく。

そんな作業をしていると、梅がかたわらにへばりついて、父の手元を眺めるようになった。

「おまえも植えてみるか」

苗と道具を与えると、言われた通りに丁寧に植えつける。なかなか器用で、やっているうちに手際もよくなる。

仙は農場の仕事を朝のうちに片づけて、それから洋服に着替え、築地のホテル館に出かけるのが日課になった。

ある夕方、帰宅すると、梅が、ひとりで池の中を見つめていた。江戸の大名屋敷には、防火用水の意味もあって、たいがい池がある。あまりに熱心に見ているので、仙が覗き込むと、蛙の卵が、うねうねと沈んでいた。

「家で育てるか。おたまじゃくしになって、しまいには蛙になるぞ」

そう気軽に声をかけると、梅は嬉しそうにうなずいた。

家に持ち帰って、浅い金魚鉢に放った。それからは毎日のように、梅が報告に来た。

「父上、黒いおたまじゃくしが出てきて、ちょろちょろ泳いでいます」

「父上、脚が生えてきました」

「父上、手も生えて、尻尾が短くなりました」

普段は口数の少ない子だが、この時ばかりは目を輝かせて話す。

とうとう蛙になって飛び跳（は）ね、金魚鉢から逃げ出すまで、毎日、飽きずに眺め続けた。

仙も子供の頃は、蛇を捕まえては、煙草（タバコ）の脂（やに）を舐（な）めさせて、どうなるかを調べたり、水菓子（くだもの）の種を庭に蒔いて育てたりしたものだった。

子供たちのなかで、いちばん梅が自分に似ている気がした。ただし小柄であり、体型だけは似なくてよかったと思う。

その後も梅は農作業を手伝いながら、飛蝗（バッタ）がいただの、紋白蝶（もんしろちょう）が飛んでいるだのと、いちいち仙に知らせに来た。

ある時、息を切らせて駆けてきた。

「父上、ほら、可愛い虫が」

よく見ると、縞木綿（しまもめん）の小袖の肩口に、七星てんとうが這（は）っていた。

「ああ、てんとう虫だ。悪い虫を食べてくれるから、大事にしてやらんとな」

梅は、赤地に黒丸が色鮮やかな丸い背中を、指先で愛（いと）しげになでた。するとてんとう虫は、ふいに羽を広げ、彼方（かなた）に飛んでいく。それを目で追う様子が、いかにも愛らしい。

仙は仕事にばかりかまけ、子供が可愛いと思う余裕などなかった。だがそんな梅を見ていて、初めて愛しいと感じた。

西洋野菜は順調に育った。ただアスパラガスには驚かされた。かつてアメリカ公使館で、輸入ものの缶詰を食べたことがあったのだが、それは白かった。だが土の中から現れたのは、同じ形なのに、鮮やかな緑色だったのだ。

慌(あわ)てて公使館に走っていき、図書室で調べたところ、理由がわかった。白も緑も同じ野菜だが、缶詰用には株元に土をかぶせて、日に当てずに育てるという。最初の二年は収穫を控えて、株を大きく育てるとも書いてあった。

そこで切り取らずにいたところ、どんどん細い葉と枝が伸びて、竹箒(たけぼうき)を逆立ちにさせたような形になった。竹箒より、ずっとしなやかで柔らかく、初夏の風になびく様子が美しかった。

だが、そんな頃、よりによって隣地に福沢諭吉が慶應義塾(けいおうぎじゅく)を開いた。かつては島原藩の下屋敷だった場所だが、海鼠塀(なまこべい)も、塀越しに見える瓦屋根も立派で、中から英文を読む野太い声が聞こえてくるようになった。

諭吉は明治維新前の慶応年間から私塾を開いていたが、学費の前納を徹底し、経営を安定させて隆盛を続けている。

渡米当時、英語は仙の方がうまかったし、諭吉は公金横領で謹慎まで食(く)らった。なのに今や福沢諭吉と言えば、日本の洋化を牽引する大先生だ。仙としては、かつての同僚との差を思い知らされる。

農業を卑しむ気持ちは微塵もないが、できることならホテルに滞在する西洋人の口を満たすだけでなく、日本の農業を大改革したかった。

五月末のことだった。築地のホテル館のフロントで、イギリス人に応対していたところ、いかにも官員らしい洋服姿の日本人が近づいてきて、無遠慮に割り込んできた。

「津田仙というのは、おまえか」

仙は内心むっとしたものの、平静を装って答えた。

「左様ですが、少々、お待ちください」

そして、ゆっくりとイギリス人との対応を終えてから、改めて官員に聞いた。

「お待たせしました。何の御用でしょう」

小柄な官員は、ひとつ咳払いをしてから、仙を見上げ、大仰に胸をそらして言った。

「黒田長官が、お会いになりたいと仰せだ。今日の昼過ぎに開拓使に来い」

仙は思わず眉をひそめた。相手の横柄な言い方はもとより、開拓使の黒田長官といえば黒田清隆に違いなく、その名前に不審感を抱いた。新潟で戦った敵将が、忘れもしない黒田清隆だったのだ。

それに開拓使は北海道の開拓を目的に、新政府に設けられた役所だ。仙には何の関わりもない。そんな役所の長官が、自分に何の用があるのか。

今さら賊軍として処罰されるのか。つい身構えつつも、断るわけにもいかない。

「わかりました。午後には出向きます」

承諾するなり、官員は足早に帰っていった。

仙は仕事を早めに切り上げて出かけた。場所は知っている。三田の農場と築地を結ぶ街道沿いの増上寺だ。

将軍家の菩提寺で、かつては幕府の手厚い保護を受け、栄華を誇った寺だった。しかし明治維新によって力を失い、境内の大部分を、新政府に召し上げられた。すでに修行僧の多くが去っており、空になった建物に、開拓使が入ったと聞いている。

行ってみると、増上寺山門前にある唐破風屋根の大きな建物が本庁舎だった。白砂利の前庭には、近年、流行り始めた人力車が客待ちをしている。

行き交う官員たちは洋服姿で、独特な薩摩弁が耳につく。開拓使は長官の黒田清隆以下、薩摩藩閥の強い役所だ。

玄関で名乗ると、さっそく奥に案内された。昔からの寺院の造りだが、靴のまま上がる形式だった。麻布善福寺のアメリカ公使館などでも、見慣れた光景ではあるが、中にいるのが日本人だけなので、違和感があった。

もっとも奥まった部屋に案内されると、襖（ふすま）を開け放った廊下から、中が垣間見えた。格天井（ごうてんじょう）の下、畳には豪華なペルシア絨毯（じゅうたん）が敷き詰められ、部屋の中程に猫脚の肘掛椅子と、同じ長椅子、付属の小卓が配されている。

案内してきた男が中に声をかけた。

「長官、築地ホテル館の津田仙が参りもうした」

太い声が返ってきた。

「おう、入れ」

もしも賊軍として処罰が待っていたとしても、致し方ないと覚悟が定まり、部屋に足を踏み入れた。

黒田清隆は、床の間前にある重厚な西洋机に向かって、何か書きものをしていた。濃い眉の下の大きな鋭い目で、仙を見上げ、筆を置いた。黒々とした髭（ひげ）をたくわえ、精力的な印象の男だった。

それが、おもむろに立ち上がり、ひとりがけの肘掛椅子を手で示した。

「黒田じゃ。まあ、座れ」

仙は示された椅子に腰掛け、黒田も差し向かいに座った。

「津田くんとやら、君は西洋野菜を作っているそうじゃな」

緊張を隠して答えた。

「いかにも、左様でございます」

「場所は三田と聞いている」

「その通りです」

「畑の広さは？」

「六千坪ほど」

「なぜ三田に決めた？」

仙はありのままに答えた。

「あちこち見てまわりましたが、ひどく建物が荒れていて取り壊すしかなく、そのために賃料が安かったので」

「なるほど」

黒田は髭に手を当てた。

「あのあたりの地味は、どうじゃ。よう肥えているのか」

「悪くはありません。お城の西側は、なだらかな高低差があるので、稲作には厄介(やっかい)ですが、私の農場は畑作なので」

話しながら、なかなか本題に入ろうとしない相手に苛立ち、こちらから聞いてみた。

「それで今日は、私に何の御用でしょうか」

「うむ。実は、ひとつ相談がある」

黒田は椅子の上で上半身を乗り出した。

「北海道の気候には米づくりは向かぬ。それゆえ西洋式の新しい農業を取り入れる。そこで試験農場を東京に造りたいのじゃが、適当な場所を探してもらえんか」

そんなことかと拍子抜けする思いがした。ただ不審が残る。

「探すのはお安い御用ですが、北海道ではなく、東京にですか」

すると黒田は片頰をゆるめた。

「試験農場など、北海道と気候の異なる東京に造っても意味がなかろうと、そう言いたいのじゃろう」

図星だったが、肯定するわけにもいかずに黙っていると、黒田は小卓の上の木箱を開けて、こちらに向けた。中に葉巻が並んでいる。

「一服、どうじゃ」

仙は相手に軽く手のひらを向けた。

「けっこうです」

すると黒田は悠然と一本を手に取って、舶来物らしきマッチで火をつけた。重厚な切子硝子(きりこがらす)の灰皿に、マッチの軸を投げ捨てる。そして言葉を続けた。

「作物が気候に合うかどうかを調べる農場は、もう函館(はこだて)の郊外にある。今度の農場は、新政府の目玉という意味がある。西洋式の大農場を造り、新聞記者たちに披露する。百姓仕事から日本が変わっていくことを、天下に示すのじゃ。そのための農場じゃって、遠い北海道に造っても、それこそ意味がなか」

一気に話すと、椅子に背中をもたせかけ、深々と葉巻を吸った。仙はなるほどと思いつつも、確かめるように聞いた。

「つまりは宣伝用の農場ということですね」

「そういうことじゃ。乳をしぼるための牛も飼うつもりじゃ」

「そのための技術は、どうなさるのですか」

仙は西洋の農業については、日本で第一人者という自信があるが、それでも酪農の知識まではない。

すると黒田は待っていたとばかりに、もういちど上半身を乗り出した。

「アメリカから御雇(おやとい)外国人を呼ぶ。ホーレス・ケプロンといって、アメリカ合衆国政府の農務局長じゃ。もう話はついている」

とてつもない大物であり、さすがに驚いた。黒田は、また片頬で笑う。

「それほどの人物を呼ぶのも、東京で試験農場を造るのも、開拓使の意気込みを天下に示すためじゃ。天下の理解を得られなければ、北海道開拓という大事業は進まん。逆に、北海道で西洋式の農業が定着すれば、それが日本中に影響する」

葉巻の火を、切子硝子の灰皿に押しつけて消し、口調を改めた。

「私は今年一月からアメリカを訪れた。つい先日、帰国したばかりじゃ」

その時にケプロンと会って、黒田自身が招聘を決めてきたという。

「アメリカで何より感心したことは、百姓たちの暮らしぶりじゃ。いかにも誇り高く、豊かに暮らしていた。私は日本の百姓たちも、あんなふうにしたか。豊かな農業こそが日本人を健康にし、ひいては体格を向上させる。その第一歩を、北海道から始めたかとじゃ」

仙は今の今まで、やや斜に構えて話を聞いていた。しかし、この言葉で黒田を見直した。自分と同じ理想を抱いていたのだ。

ひとつ息を吸ってから答えた。

「わかりました。おまかせください。最適な土地があります」

黒田が目を輝かせた。

「そうか、引き受けてもらえるか」

「ケプロン氏にも満足してもらえるような、立派な試験農場を造りましょう」

「君は英語も達者だと聞いておる。ならばケプロンが来日した際には、ぜひ説明に立ってくれ。もし君さえよければ、開拓使に出仕せよ」

思いもかけなかった話に胸が高鳴る。この男の下でなら、また大きな仕事ができそうな気がした。

だが同時に戸惑いも湧く。仙は正直に打ち明けることにした。

「長官の理想の実現には、ぜひ、お役に立ちたいところです。でも、お伝えしなければならないことがあります」

「何じゃ？」

「実は長官の軍勢と、新潟で銃撃戦を交わしたことがあります。私は賊軍として処罰されても、仕方ない立場なのです」

とたんに黒田が破顔した。

「そげんこつか。よか、もう過ぎたこつじゃ。気にせんでよか」

さらに思いがけないことを言い出した。

「いっそ君には、学校で教えてもらおうか」

開拓使では独自の学校を設立する計画を立てているという。

「開拓の指導者を育てる学校で、まずは、この増上寺で開校するが、一年か二年のうちには札幌（さっぽろ）に移転する。最初から北海道では、生徒が集まらんのでな」

ケプロンと一緒にトーマス・アンチセルという地質学者が、開拓使学校の教師として来日するという。

「まずは生徒のために、アンチセルの講義の通訳を頼む。それにアンチセルは北海道の石炭などの現地調査にも出かけるし、君には教室で西洋の農業を教えてもらいたか」

いよいよ胸が高鳴る。幕府崩壊以来、不満ばかり抱えていたが、ようやく好機がめぐってきた気がした。

さっそく仙は築地のホテル館を退職し、開拓使に出仕した。

七月になるとケプロンが、四人の助手たちとともに来日した。

ケプロンは髪も豊かな口髭も銀色で、一見、いかめしい顔立ちながら、握手を交わして話し始めると、笑顔で冗談も言う。助手たちもアメリカ人らしく気さくだった。

仙は黒田とともに、一行を試験農場の候補地に案内した。そこは青山から麻布へと広がる一帯で、もとは佐倉藩の下屋敷があった敷地だ。

仙は英語で説明した。

――私の父は佐倉藩士で、私も若い頃は、江戸詰めの書生として、ここで暮らしました。当時、仲間の侍たちは鍬（くわ）を持って空き地を耕し、青物や根野菜を育てたものです。素人（しろうと）でも立派な野菜ができました。ですから地味のよさは保証します――

本当は自分も、ここを借りたかったのだが、賃料が足りなかったと打ち明けると、ケプロンたちが笑った。

さらに敷地の東端に流れる、渋谷（しぶや）川の支流を見せた。

――乳牛たちの水飲み場には、ちょうどいいと思います。こういう水辺のある敷地は、なかなかありませんし――

ケプロンは、やはり夏の暑さを気にしたが、あくまでも宣伝用の農場であることを説明すると、納得してもらえた。

農場は青山官園と呼ばれることになった。

その後、浜離宮（はまりきゅう）にある延遼館（えんりょうかん）という西洋館で、ケプロンたちを歓迎するレセプションが開かれ、仙は黒田の通訳として出席した。

浜離宮は築地に隣接した海岸沿いで、もともと将軍家の別邸だった。幕末には幕府海軍の基地となって、延遼館が建てられ、新政府に引き継がれてからは、外国人向けの迎賓館（げいひんかん）として使われ始めた。

将軍家別邸だった頃の庭園が、そのまま残っており、和の庭と洋の建物との調和が、ケプロンたちには好評だった。

立食のレセプションの場で、開拓使の学校の話が出て、教師役として招聘されたアンチセルがワイングラスを片手に言った。

——開拓使で、女子のための学校も設けたらどうですか——

アメリカ東部では一流大学の近くには、たいがい女子大があり、ひんぱんに交流の機会があって、結婚に至る例が多いという。

——男子学生だけ開拓地におもむかせても、女性と知り合う機会がないし、開拓は夫婦揃ってなすべきです——

アメリカは西部開拓時代、若い夫婦が幌馬車に乗り込み、各地に定住していったという。

——荒野を農地に変えていくためには、女性も働かなければならず、その影響で、今でもアメリカでは女性の地位が高いのです——

こういうパーティに、日本人の女性が出席していないことも問題だと指摘する。女性の地位の高さが、先進国家の証だというのだ。

訳して伝えると、すぐに黒田は乗り気になった。

「それは悪くなか話じゃ。確かに男だけ北海道に送り込んでも、いずれ帰ってきてしまう。こういう場にも花を添えられるような、花嫁候補を育てる女学校をつくろう」

それでレセプションはお開きになった。

帰りがけに仙は黒田に頼んだ。

「女学校ができたら、うちの娘たちも入学させてください」

黒田は上機嫌で答えた。

「ぜひとも入ってくれ」

そして、ふと表情を変えた。

「いっそのこと、おなごをアメリカに留学させたら、どうじゃ？」

開拓使では毎年、男子留学生をアメリカに送る計画を立てており、すでに第一陣が渡米していた。それを女子にまで拡大しようというのだ。

「きっと新聞は書き立てるぞ。開拓使女子留学生渡米だ。世間も、あっと驚く」

黒田は一瞬、目を輝かせたが、すぐに表情をくもらせた。

「じゃっどん、希望する者がおらんな」

男子留学生ですら、募集を始めた当初は、希望者が集まらなかったという。

「まして娘となると、親が手放さんじゃろう」

仙は心がはやり、思わず声をうわずらせた。

「うちの娘では、いけませんか」

一瞬で黒田の目の輝きが戻った。

「おはんの娘か。それはよか。ひとりでも応募があれば、呼び水になるじゃろう。娘はいくつじゃ？」

「数え年十の琴という娘がいますが、幼すぎますか」

「十歳か。まあ悪くはなか。男子留学生には十一歳がおるしな」

第一陣の留学生の中で、西郷隆盛の息子が最年少の十一歳だったが、十二歳と年齢をいつわって渡米させたという。

「女子留学生は、西洋人の宴会に花を添えられるように、西洋の礼儀作法も身につけさせたか。じゃっで幼い娘を送って、長く留学させたらよか」

男子の留学は四、五年だが、その倍はアメリカに居させたいという。

仙は夢のような話に胸を高鳴らせ、黒田と別れるなり、浜離宮を飛び出して、三田の家まで走り通した。

しかし初の兄である源八が、話を聞くなり猛反対した。

「おまえは何を考えている？　琴をアメリカに送るだと？　とんでもない話だッ」

三田に農場を開いた時に、源八夫婦も同じ敷地内の別棟に引っ越してきて、同居同然に暮らしている。

「そんな遠くに行かせて、親きょうだいとも何年も会えないなんて、かわいそうだと思わないかッ」

頑強に言い張る義理の兄を、仙は懸命にかき口説(くど)いた。

「これは琴のためになります。日本で最初の女子留学生のひとりという栄誉を得るのです。この機を逃す手はありません」

「栄誉か何か知らんが、とにかく琴は養女として、うちでもらった娘だ。勝手にはさせせん」

「それは困ります。もう開拓使の長官に請け合ってしまったので」

「そんなことは断りゃいい。いずれ琴には婿を取って、家を継がせるんだ。アメリカ留学なんか、させるものかッ」

けんもほろろの態度に、仙は当惑した。

よもや義兄の反対に遭（あ）おうとは、夢にも思わなかった。それに養女にしたとはいえ、身近で暮らしているために、つい自分の娘という意識だったのだ。

ふと視線を感じて振り返ると、女子供が襖の際（きわ）で寄り添って、こちらをうかがっていた。男たちの声高な言い合いに驚いて、集まってきたらしい。

仙は飛び跳ねるように立ち上がり、琴本人の前に片膝をついた。

「琴、おまえはアメリカに行きたいよな。いいぞォ、アメリカは。帰ってきたら、一生、大威張りで暮らせるし」

だが琴は初の後ろに隠れてしまった。

「琴、おまえは、父の言うことを聞けないかッ」

すると隠れたままで泣き出した。

「いや、行かない」

涙声で訴える。

仙は手を伸ばして、娘の手首をつかんだ。

「琴、よく聞けッ」

だが琴は、思いがけないほどの力で振りほどいた。

「そんなところに行かないッ。行きたくないッ」

初の背中にしがみついて、大声で泣き叫ぶ。初も兄嫁も困惑顔だ。

背後から源八が勝ち誇ったように言う。

「ほら見ろ。アメリカなんか無理だ。こんな年端もいかない娘に」

仙は義兄を振り返った。

「でも困るんです。うちで率先して娘を出さなければ、ほかが続かないし」

「そんなに、どこでも嫌がる話を、なぜ、うちで引き受けなきゃならないんだ」

「こんないい話は千載一遇です。私は長崎の女たちみたいに、世のため人のために働いてもらいたいのです。アメリカに行けば、女でも大きな仕事ができるんですよ」

長崎の大浦慶は、清国に密航したことで茶貿易のきっかけを作った。仙は琴にも、そんな機会を与えたかった。

源八は声を張り上げた。

「いや、女はな、いい縁談に恵まれるのが、何よりの幸せだ。アメリカなんかに行ったら、嫁の貰い手がなくなるぞ。いや、婿に来る者もいなくなる」

「いいえ、これからの時代は、女の生き方も変わります。琴は、その嚆矢になるんです」

「そんなことは他人に任せておけばいいんだ。だいいち女が、そんな言葉も通じない国に行って、何になるッ」

「でも女の方が、外国語は呑み込みが早いんですよ。それも幼ければ幼いだけ、早く身につくんです」

「とにかく琴は、うちで貰った子だ。ぜったいに手放さない」

仙は思わず溜息をついた。その時、ふいに背中に別の視線を感じた。また女子供の方に顔を向けると、今度は梅と目が合った。

一瞬で考えが変わった。梅の方が適役に思えたのだ。相変わらず無口ではあるものの、読み書きも記憶力も、琴をしのぐものがある。この話は最初から、梅のためにあったような気さえした。

仙は幼い娘ににじり寄って、小さな手を両手で包み、正面から目を見て言い聞かせた。

「梅、おまえは賢い。だから、わかるよな。これは、おまえのためになることだ」

梅は黙っている。

「おまえが行ってくれれば、父を助けることにもなる。だから、おまえはアメリカに行け。いいな」

すると梅は、ふっくらした頬をこわばらせつつも、かすかにうなずいた。

初が慌てた。

「やめてくださいッ。こんな頑是ない子に、そんな話をしても、わかるはずがないでしょうッ」

「いや、梅は利口だ。ちゃんと自分のやるべきことが、わかってる」

兄嫁も反対した。

「こんな小さいうちから、そんな遠くにやるなんて、あんまりですよ」

初は梅を取られまいと、強く抱きしめた。

「そうですとも。梅は八つって言っても、師走の生まれだから、もし、ひと月後に生まれてたら、まだ七つなんですよ。西洋の数え方だったら六歳でしょう?」

仙は無性に腹が立ってきた。

「そんなことは言われなくてもわかっている。でも梅は大丈夫だ。頭のできが違うんだ」

もういちど梅の手を取って聞いた。

「なあ、梅、父は若い頃にアメリカに行ったけれど、とても、いいところだった。おまえも父と同じように行くよな?」

熱を込めて、幼い娘をかき口説いた。

「おまえが行かなければ、父は困ってしまう。父のために、おまえは行ってくれるよな?」

すると梅は戸惑い顔ながらも、今度は、はっきりとうなずいた。

仙の心に喜びが湧き上がる。

「さすが梅だ。いい子だ」

それからは源八の怒声も、女たちの金切り声も、耳に届かなかった。

ただ、数え年八つで留学生として受け入れてもらえるか、その点に不安が残る。それでも仙は押し切るつもりだった。日本初の女子留学生という栄誉を、なんとしても梅に与えたい。その一心だった。

二　梅の出発

横浜は関内（かんない）の宿屋を出ると、外は今にも雪が降り出しそうだった。灰色の雲が低く垂れ込め、冷たい海風が吹きつける。

明治四年（一八七一）十一月十二日、梅は父に手を引かれて、集合場所の横浜裁判所に向かった。

豪華な刺繍（ししゅう）の振袖が重く、高々と結い上げられた稚児髷（ちごまげ）が気になって仕方ない。これから、どこに行くのかも不安でたまらない。ただ父の大きい手だけが、唯一の心のより所だ。

前後には留学仲間になる少女たちが、やはり振袖姿で、それぞれの父親とともに歩いている。梅を含めて五人だが、ほかの四人が大人びて見えて、つい怖気（おじけ）づきそうになる。

道行く人が、衣装の豪華さに立ち止まり、目を丸くして見入る。それも恥ずかしくて嫌だった。

仙は前後の父親たちと談笑しながら歩く。幕臣当時の同僚や知り合いらしい。留学が決まって以来、ずっと機嫌がいい。

横浜裁判所は立派な洋館だった。外国人居留地と、昨夜、梅たちが泊まった宿屋のある日本人街の、ちょうど境にあり、海沿いの船着き場にも近かった。

アーチ型の玄関に、続々と人が吸い込まれていく。皆、おろしたてのような洋服を着ている。仙が説明してくれた。

「新政府から派遣される使節団の人たちと、男子留学生たちだ。みんな、おまえたちと一緒にアメリカに行くんだ。だから、何も心細いことはないぞ」

しかし男ばかりで、女は自分たちだけだ。女子留学生の家族でも、見送りが許されたのは父親だけだった。

梅は、いかにも自分たちが場違いな気がして、いよいよ怖くなり、父の手を強く握り直した。父は大丈夫だと言うかのように、娘に優しい視線を向ける。

裁判所に入ると、女子留学生と父親たちの一行だけが一室に案内されて、柔らかい椅子を勧められた。乗船まで時間があるので、ここで待てという。

父親たちが寄り集まって談笑を始めると、梅の隣に腰掛けた少女が、屈託（くったく）なく声をかけてきた。

「あなた、ずいぶん小さいけど、いったい、いくつなの？」

「八つ」

梅が、おずおずと答えると、相手は目を丸くした。

「へえ、八つ？　もっと小さいかと思った」

「十二月生まれだから」

「ああ、そうなの。私はね、十一歳。永井繁（ながいしげ）っていうのよ。よろしくね」

繁の明るい話し方に、梅の緊張が少しほぐれた。五人が顔を合わすのは初めてではないが、名乗り合ったり、話したりする機会は、今までになかったのだ。

繁は別の少女にも話しかけた。

「あなたは？」

すると律儀な口調が返ってきた。

「私は十二歳で、山川捨松（やまかわすてまつ）と申します」

「捨松？　なんだか男みたいな名前ね」

やせて背が高く、ひょろっとした印象で、憂（うれ）いを帯びた面長（おもなが）を少し傾（かし）げて答える。

「アメリカに行くのに、母親が捨てて待つという意味で、つけてくれたのです」

繁は、いよいよ無遠慮に聞いた。

「まあ、親に捨てられたの？」

すると捨松の向こう隣にいた大柄な娘が、口をはさんだ。

「馬鹿ね。そういう気持ちっていう意味でしょ。それに捨松さんは、兄上さまが開拓使の留学生で、もうアメリカにいらっしゃるから、本当は親御(おやご)さんだって心配ないのよ」

その大柄な娘は、みずから上田悌(うえだてい)と名乗った。今回の最年長で十七歳だという。そして、もうひとりの娘に聞いた。

「あなたは吉益亮(よしますりょう)さんよね？　確か、歳は十五歳でしょう」

亮と呼ばれた娘は、少しはにかんで答えた。

「ええ、そうです」

細面(ほそおもて)に鼻筋が通り、大きな二重まぶたの目が茶色みがかって、西洋人のように肌が白い。五人の中で飛び抜けた美人だが、美人にありがちな冷たさはなく、むしろ梅は優しそうな印象を受けた。

たがいに名乗り合っているうちに、西洋人の男女ひと組が部屋に入ってきた。一瞬で部屋の中が華やぐ。

すでに仙は顔見知りらしく、英語でほかの父親たちを、ふたりに引き合わせた。それから五人の少女たちに言った。

「アメリカ公使のチャールズ・デ・ロングさまと、その奥さまだ。一時帰国なさるから、ワシントンに着くまで、おまえたちの世話をしてくださる」

ロング夫人は満面(まんめん)の笑みで、何か言いながら、真っ先に梅に近づいてきて、手を差し出した。梅が作法通り右手を出すと、しっかりと握手され、さらに抱き寄せられて頬ずりをされた。

仙の農場には、麻布辺りの公使館から、西洋人が家族で野菜を買い求めに来る。そのため握手や頰ずりが西洋式の挨拶だと、梅は心得ている。

だがロング夫人が永井繁にも同じようにすると、いかにも嫌そうな顔をした。夫人が捨松に移るのを待ちかねて、手のひらで自分の頰を強くこする。頰ずりが不快だったらしい。

それに気づいた大柄な上田悌が、険しい顔を横に振って、無言でいさめた。とたんに繁は眉と口をへの字に曲げて、泣き出しそうになった。

悌は仲間を見渡して、きっぱりと言い渡した。

「皆さん、今日は泣いてはいけません。私たちは日本で最初の女子留学生として、胸を張って出かけましょう。晴れの日に、涙は無用です」

梅は悌の覚悟に感じ入った。確かに晴れの日に泣くわけにはいかない。

それから黒田清隆が現れた。洋服姿の男たちを何人も引きつれている。いっせいに父親たちが椅子から立ち上がった。

梅が黒田と会うのは、もう三度目だ。最初は仙に連れられて、増上寺の開拓使庁舎に行った。あまりに梅が幼いので、黒田は濃い眉を寄せたものの、その場で承諾した。

「まあ、よか。ほかに行きたがる者も、なかじゃっで」

二度目の時には、今と同じ振袖を着せられて、人力車で出かけた。また開拓使庁舎に出向き、留学仲間の四人と顔を合わせた。全員が同じように着飾っていた。

その日は黒田を先頭に、人力車を連ねて宮城に参内し、皇后陛下に拝謁した。皇后は十二単姿で、まるで雛人形のように見えた。

最初に父から「アメリカに行け」と命じられた時には、自分が断ったら父が困るのだと感じ、つい断りきれなくてうなずいてしまった。すると大好きな父が笑顔になったので、自分も嬉しくなった。

だが黒田に会い、皇后に会うにつれ、とんでもないことが自分に降り注ぎ、どんどん進行しているのだと気づいた。緊張が高まり、今さら引き返せないという思いも強まっていく。泣きたくなる気持ちを、かろうじて抑えてきた。

昨日は、とうとう母や姉、源八夫婦、幼い弟たちとも別れることになった。これからの十年が、どれほど長いのか、梅には見当もつかない。その間、家族とは会えない。その事実が身に迫り、哀しくて家で大泣きした。

源八夫婦がもらい泣きをして、仙に訴えた。

「今からでも断ることはできないのか。いくらなんでもかわいそうだ」

しかし仙は黙って首を横に振った。

もう初も覚悟を決めており、梅に向かって声を潤ませた。

「体に気をつけて、一生懸命に学んでくるのですよ。おまえが立派になって帰ってくるのを、母は何よりも楽しみに待っています」

梅は父だけでなく、母も望んでいると知って、拳（こぶし）を握りしめて涙をぬぐい、懸命にうなずいた。

そうして家を出て、昨夜は父とふたりで横浜に泊まったのだ。

黒田が連れてきた男たちが、ふところから小さな手帳を取り出し、短い鉛筆をつかんで聞いた。

「黒田長官、留学する少女たちの名前と歳を、ひとりずつ教えてください」

黒田は、それに応じて、上田悌から順番に紹介していった。それから梅たちに向かって言った。

「この者たちは新聞記者だ。そなたたちのことが明日の新聞に載るぞ」

新聞記者たちは、いちいち手帳に書き留めながら言った。

「黒田長官、明日の一面は『開拓使女子留学生出発』で決まりですよ」

黒田が苦笑して答える。

「いや、一面は『岩倉（いわくら）大使節団出発』だ。女子留学生は、せいぜい二面で書いてくれ」

梅たちが同行する新政府の使節団は、公家（くげ）の岩倉具視（ともみ）が特命全権大使を務め、岩倉使節団と呼ばれ始めている。使節が四十六人、随員が十八人、それに女子五人を含めた留学生が五十八人という大所帯だった。

新聞記者たちは最年少の梅に目をつけて、まわりを取り囲んだ。

「ねえ、君さァ、お母さんやお父さんと会えなくなって、嫌じゃないかい」

馴れ馴れしく聞かれて、梅は少し不愉快で、はっきりと首を横に振った。新聞記者は、なおも意地悪く聞く。

「だけど言葉も通じない国に行くんだよ。それでもいいのかい」

梅は腹立ちを抑え、思い切って大きな声で答えた。

「私の父上は英語が上手です。私もアメリカで一生懸命に学んで、大きくなったら父上のようになります」

誰に教わったわけでもないが、とっさに、そんな言葉が出たのだ。

ほかの記者たちから「ほう」っと、感嘆の息がもれる一方で、質問した記者は皮肉めかして言った。

「へえ、そりゃ、ご立派な志だね」

黒田は額面（がくめん）通り受け取って、得意満面だ。

「驚いたか。開拓使の女子留学生は、幼くても大したものだろう」

新聞記者たちが手帳をしまいながら、そそくさと退出すると、入れ替わりに乗船準備が整ったと知らせが来た。

ロング夫妻や少女たちが立ち上がる中、仙が大股で近づいて、梅の前でしゃがんだ。

「梅、立派だった。おまえは立派に答えた。父は心から、おまえを誇らしく思うぞ」

梅は褒(ほ)められて嬉しかった。

しかし父の下まぶたの際(きわ)に、涙がにじんで光っていた。それを見たとたんに、また哀しみがこみ上げた。アメリカに行くのは大好きな父のためなのに、その大好きな父と会えなくなる。それがたまらなかった。

仙は上を向いて目を瞬(しばた)くと、ゆっくりと娘に視線を戻した。

「梅、元気で行って来い。泣かずに行くのだぞ」

そして目頭(めがしら)を指先でぬぐって、泣き笑いの顔になった。

「そういう父が、こんなでは情けないな」

梅も必死に涙をこらえてうなずいた。

その時、ロング夫人に、そろそろ外に出るように促(うなが)された。

横浜裁判所の玄関に出てみると、港の桟橋(さんばし)まで見物人の人垣ができていた。全員の視線が、こちらに向いている。いよいよ梅は怖気づきそうになった。

父に手を引かれて、なんとか歩き出すと、聞こえよがしな声が耳に届いた。

「あれだよ。アメリカくんだりまで行くっていう酔狂(すいきょう)な娘たちは」

「見てごらん、あんな小さい子まで。親は鬼だね」

「女衒(ぜげん)に娘を売る親と変わらないよ。そこまでして親は出世したいかねえ」

「かわいそうにねえ」

梅には深い意味まではわからなかったが、あざけりの言葉だとは判断できた。そして泣くまいと心に誓った。泣けば、なおさら同情されて、父が悪者にされるに違いなかった。

桟橋には、いかにも恰幅（かっぷく）のいい公家装束（しょうぞく）の男を、大勢が取り囲んでいた。さっきの新聞記者たちもいる。

最年長の悌が梅たちに小声で教えた。

「あのお着物の方が岩倉具視公よ。隣に立つ背の高い洋服の方が、薩摩の大久保利通（おおくぼとしみち）さまで、その隣が長州（ちょうしゅう）の伊藤博文（いとうひろぶみ）さま。くれぐれも粗相（そそう）のないようにね」

岩倉具視たちが小型の蒸気船に乗り込んだ。サンフランシスコ行きのアメリカ号という大型船が、沖に錨（いかり）を下ろしている。外国船が横づけできる桟橋はなく、艀船（はしけぶね）で行き来するのだ。

随員や男子留学生たちは、手漕ぎの艀船に次々と乗り込んで、アメリカ号に向かう。ロング夫妻と女子留学生も、手漕ぎ船に導かれた。

夫妻と悌が先に乗り、いよいよ梅の番になった。これから十年、日本の土は踏めない。後ろ髪引かれる思いで陸を振り返った。

大勢の見送りが居並ぶ中、大柄な父は、ひときわ目立つ。口元を強く引き締めて、幼い娘の姿を見つめていた。

思わず泣き出しそうになったが、ふいに温かい手が、梅の手を包んだ。見上げると吉益亮だった。茶色みがかった大きな瞳が、優しげに微笑(ほほえ)んで「大丈夫だから」と励ましてくれていた。

梅は気を取り直した。笑顔を見せなければ、父が悲しむ。泣かずに元気に出かけたと、母にも伝えてもらわなければならない。

でも笑顔を作ろうとすればするほど、泣きそうになる。それをこらえて、しっかりと口角(こうかく)を上げ、もういちど父を振り返ろうとした。しかし顔を見たら、それきり大泣きしてしまいそうだった。もはや亮に手を引かれ、前を向いて艀船に乗り込むしかない。

船べりに立ってからも、どうしても顔が上げられない。父に笑顔を見せたいのに、哀しみをこらえるだけで、せいいっぱいだった。

亮が背後に立って、梅の両肩に優しく手を乗せる。それを強くつかんで、うつむいたまま懸命に涙をこらえた。

離岸する時に、見送りの人垣から歓声が湧いた。

「開拓使女子留学生、頑張れッ」

「立派に勉強してこいッ」

人々が大声で励ましを口にする。

梅が思わず顔を上げると、人垣のただ中に父が立っていた。一瞬、目が合っただけで、一気に涙があふれ出る。

すぐさま顔をそむけ、後ろを向いて、亮の振袖の胸元に顔を押しつけた。そして声を殺して泣いた。

亮は梅の背中に手をまわし、耳元でささやいた。

「泣いたって、いいのよ。泣いたって」

その声も潤んでいる。

それから梅は号泣した。

行きたくない。アメリカになんか行きたくない。そう叫び出したい。けれど、どんなに叫んだところで、もう引き返せはしない。

もういちど振り返ると、黒雲の下、艀船と桟橋の間には、黒々とした海面が思いがけないほど広がっていた。それが、さらに広くなっていく。

父の姿が遠のいて、小さく、小さくなっていく。梅は泣きじゃくりながら、それを見つめ続けた。

出航した夜から風雨となり、アメリカ号は大きく揺れた。

食事は、若い給仕が五人の船室まで運んできてくれたが、ほとんど喉を通らなかった。

波に揺られながら消灯を迎えると、船酔いもあって、また梅は心細くなり、すすり泣き始めた。すると吉益亮が声をかけてくれた。

「私の寝台においでなさい。一緒に休みましょう」

それで亮の寝床に潜り込み、泣きながら寝入った。それからは毎晩、狭い寝台で、亮とふたりで寄り添って寝た。

船の暮らしに慣れてくると、五人で、それぞれの生まれ育ちを語り合った。

繁は出航の際に、梅と同様に号泣したものの、その後は明るさを取り戻して、誰よりもよくしゃべった。

「私はね、養女に出たのだけれど、もとは益田という家で生まれ育ったのよ。私が生まれる前に、父上は箱館奉行所に勤めてらして、開港場で西洋人が大勢いたものだから、私の兄は英語を学んだの。だから兄上は英語が上手よ」

その後、江戸に移ってから繁が生まれ、繁の兄は英語を生かして、アメリカ公使館の通詞をしたという。梅は驚いた。

「それじゃ、うちの父上と一緒？」

「あら、そうだったの？　そういう縁があったのね」

繁は嬉しそうに手を打つ。

「御一新の後、いったん兄上は横浜で貿易の仕事に就いたのだけれど、今は大蔵省に出仕してるわ」

繁自身は益田家から、永井という医家にもらわれたという。

「でも、そこの母が意地悪で、もう嫌で嫌でたまらなかった。だから益田の父から、アメリカに行くかって聞かれて、飛びついちゃった」

繁は、あっけらかんと話す。

ほかにも最年長で大柄な上田悌は、父親が仙の新潟奉行所当時の同僚だった。仙のような単身での赴任ではなく、家族も新潟についていったという。

「新潟にアメリカ人の宣教師のご夫婦がいらして、その奥さまから、私は英語を習ったのよ」

確かに英語が流暢で、船中ではロング夫妻との通訳ができた。

亮の父も、外国方で仙と一緒だったという。悌は早口だが、亮は対照的に、ゆっくりした口調で話す。

「もしかしたら梅さんの父上さまが、私たちの父たちに声をかけて、留学を誘ってくださったのかもしれないわね」

五人の父親の中で、開拓使に出仕しているのは仙ひとりであり、ありえない話ではなかった。

ただ山川捨松だけが幕臣の出ではなかった。捨松は、きちんとした言葉づかいを崩さずに話す。

「私は兄の縁で、開拓使のお役人の方から、お声がけいただきました」

捨松には兄がふたりいて、山川健次郎（けんじろう）という次兄が、すでにアメリカに留学しているという。

　繁が、また無遠慮に聞いた。

「お兄さまと、きょうだいで留学なんて、ずいぶん得してない？」

　正義感の強い悌が、すぐにいさめる。

「なんてことを言うの？　女子はもちろん、男子の留学生だって、最初はなり手がいなくて、開拓使で困ってらしたんだから、名乗り出てくれて大助かりのはずよ」

　それでも繁は、なおも不審そうに捨松に聞いた。

「もしかして、お父上は新政府にお勤め？」

　捨松は首を横に振った。

「うちは会津（あいづ）の出です」

　口は重かったが、ぽつりぽつりと語り始めた。

　父親は会津藩で家老まで務めたものの、捨松が生まれる直前に亡くなり、長兄の山川浩（ひろし）が跡を継いだという。父親代わりになって、捨松を育ててくれたのも浩だった。

「上の兄は御一新前に、ロシアに行かせていただいたことがありました」

　樺太（からふと）の国境交渉で、幕府が十九人の使節団を送ったことがあり、山川浩は、その時の随員のひとりに加わったという。

「その時まで、兄は外国を毛嫌いしていましたが、ロシアに行ってみて、日本が遅れを取っていることに気づき、考えを改めたそうです」

以来、山川浩には幕府外国方との縁ができて、開拓使の第一次留学生募集を伝え聞き、まっさきに次兄に応募させた。女子留学生の件も、同じ縁だったという。

繁が身を乗り出して聞く。

「会津って、御一新の時に、戦争があったんでしょう」

「ええ、私が九つの時でした」

「戦争って、怖いんでしょう？　私、上野のお山で戦争があった後、兄に誘われて見に行ったけど、負けた人たちの生首がさらされて、それはそれは怖かったわよ」

いかにもおぞましそうに、大きく体をふるわせて、また捨松に聞いた。

「会津の戦争は、上野よりも激しかったらしいけど、身近な人が亡くなったりした？」

すると捨松は目を伏せて答えた。

「義理の姉が亡くなりました」

父親代わりの浩の妻で、捨松が幼い頃から世話をしてくれた人だという。

「お気の毒に。でも、その時、お兄さまは何をなさっていたの？」

何故(なぜ)、兄が妻を守りきれなかったのか、繁は納得がいかない様子だ。すると捨松は訥々(とつとつ)と話し始めた。

「会津の城下で戦争が始まる前、男の人たちは遠くの守りに出ていました」

新政府軍が会津盆地の中にまで攻め入らないように、男たちは各地の配備についており、城下の屋敷地には、年寄りや女子供ばかりが残されていたという。

「そこに思いがけない速さで、敵が攻め入ってきたので、私たちは急いで、お城に逃げ込みました」

すると敵は、城下のあちこちに火を放ったという。

「半鐘が激しく打ち鳴らされて、お城のまわりは火の海で、風で黒い煙が吹きつけて。今まで暮らしていた屋敷が、燃えているのもわかりました。その時も怖かったけれど、その後の方が、何倍もつらい思いをしました」

新政府軍は、難攻不落といわれた会津城に向けて、雨あられと大砲を撃ちかけたという。

「その中の一発が、義姉の間近で爆発して、全身に鉄の破片を浴びて、苦しんだ末に亡くなりました」

繁が身ぶるいして言った。

「かわいそう。痛かったでしょうね」

捨松は、うつむいて話していたが、ふいに顔を上げた。

「でも、そんなふうにして亡くなったのは、うちの義姉だけじゃなくて、お城の中で、大勢の女の人や子供たちが命を落としたのです。私も、もう死ぬんだって、覚悟したし」

あまりに凄惨な話に、もはや四人には言葉がない。一方、捨松は、何かが吹っ切れたかのように饒舌に語った。

「それから会津の侍は、皆、賊軍として謹慎を受けて。翌年には謹慎は解かれたけれど、もう会津で暮らすことはできなくて、下北半島の斗南に移封になりました」

　繁が少し遠慮がちに聞いた。

「下北半島って、どこ？」

「今の青森県です」

　山川家でも一家揃って移住した。もともと家老の家系だったため、長兄は藩の大参事として、一万七千人もの移住者の頂点に立ち、彼らの暮らしを率いたという。

「夏でも冷たい風の吹きつけるところで、お米ができないし、まともな家もないままで冬になってしまって」

　凍死者や餓死者が出るほどの、厳しい暮らしぶりだったという。

「表向きは謹慎は解かれたけれど、結局、会津には逆賊という罪が着せられたままでした。だから斗南への移封は、実質的な流刑だったのです」

　山川家では、とうてい家族で冬を越せないと見込んで、捨松は函館で暮らすフランス人の家に預けられた。

「函館は津軽海峡を越えたらすぐだし、西洋人の家は暖かいからと、兄に言い聞かされて行ったけれど、最初は言葉もわからなくて、家族が恋しくて、毎日、泣いて暮らしました」

でも旧会津藩士と、その家族たちは、極寒の地で生きるか死ぬかの苦労をしており、それを思うと我慢するしかなかったという。

「なんとかフランス人の家に馴染(なじ)んだ頃、今度の留学の話が持ち上がったのです」

そこまで話すと、急に、きっぱりとした口調に変わった。

「私の故郷は会津だけれど、もう会津には帰る家がないのです。だから留学で立派になって、逆賊の汚名を晴らすしか、私の生きる道はないの」

幕府崩壊の時、梅は五つだった。父は新潟に単身赴任していたものの、近くには伯父の源八がいたし、子供たちは安穏(あんのん)と暮らしていた。新政府軍が攻めてきたら、どこに逃げるかという話は出たが、怖い思いはせずにすんだ。

同じ頃に、目の前の捨松が、それほどの苦労を重ねていたとは思いもよらなかった。

留学に向かう覚悟も、ほかの四人とは違う。親が「捨てて待つ」と名づけた意味の重さを、梅は幼心(おさなごころ)にも理解した。


公家装束の岩倉具視は、船内でも近寄りがたかったが、伊藤博文は気さくだった。梅たちの部屋にやって来ては、お化けの話で脅(おど)かしたり、おとぎ話で和(なご)ませてくれた。

自分の船室に連れて行ってくれることもあった。

「味噌漬けを食べるかね」

五人が目を輝かすと、持参の小さい壺を開けて、しょっぱい漬物を分けてくれた。

伊藤は外遊が三度目だった。最初は長州藩から五人の藩士が、幕府に届け出ずにロンドンに留学したという。

「ロンドンにいた時は、日本の味が恋しくてなァ」

在英中に幕府崩壊を知り、伊藤は短期で帰国した。

「長く居たら、むしろ向こうの食事に馴染んだかもしれんが、あの時は日本の飯が食いたくてたまらんかった」

二度目の外遊は、去年の十一月から半年間、アメリカに出かけたという。

「その時に、初めて味噌漬けを持っていったんじゃ。旅の間、ちびちび食べて、最後は箸の先に、ほんのちょっとずつ味噌をつけて舐めたものじゃ」

悌や亮が慌てて遠慮すると、伊藤は豪快に笑った。

「いや、かまわん。そなたたちは、これから十年もアメリカに滞在するのだから、これが日本の味の食べ納めじゃ」

その後も船が揺れて、五人は船酔いになったり、元気になったりの繰り返しだった。そして横浜を出てから二十三日で、アメリカ西海岸のサンフランシスコに到着した。

梅たちはホテルの豪華なホールや、エレベーターのしかけに驚き、明るく清潔な部屋に夢見心地になった。

サンフランシスコでは市主催の歓迎大晩餐会（ばんさんかい）が開かれ、伊藤博文が日本側の代表として英語で挨拶に立った。

梅には何を話しているのか、さっぱりわからなかった。しかし話し終えてからの拍手の大きさと、アメリカ人の笑顔に、喝采（かっさい）を浴びているのだと理解した。

繁が目を丸くして、ささやいた。

「あの味噌漬けのおじさん、すごい人だったのね」

悌も驚きを隠さずに言う。

「英語も、とってもお上手よ」

晩餐会では、梅たちの振袖姿が大きな注目を浴びた。周囲には人垣ができて、次々と質問される。悌では訳しきれず、随員の通訳がつきっきりで話を伝えてくれた。

特に梅は、さんざん稚児髷を触られた。何度も同じことを聞かれ、そのうち訳してもらわなくても「プリティ」が「かわいい」で、「ビューティフル」が「きれい」、「ゴージャス」が「豪華絢爛（けんらん）」という意味だと、見当がつくようになった。

晩餐会の帰りがけに、岩倉具視が初めて五人に近づいてきて、京言葉で言った。

「女を留学させるて、黒田は何を考えてるんやろて思うたけど、花を添えられたし、案外、悪うなかったな」

岩倉の公家装束も注目されたものの、女子留学生たちの方が人気が高かった。

ロング夫人はサンフランシスコでドレスを仕立ててくれると約束しており、五人とも楽しみにしていた。ところが、あまりに振袖が好評だったので、あっさりと反故にされてしまった。

サンフランシスコからも岩倉使節団に同行して、大陸横断鉄道に乗り込み、東海岸のワシントンＤＣに向かった。しかし途中で大雪に見舞われて、列車がロッキー山脈を越えられなくなり、手前のソルトレイクシティで足止めを食った。

毎日、退屈でたまらず、晴れた日には、梅たちは雪合戦を楽しんだ。新潟で暮らしたことのある悌は、部屋から出てこなかった。

「こんな晴れた日に外に出ると、日に焼けて色黒になるわよ。それに雪目になるし」

繁は梅や捨松にささやいた。

「あんな気取り屋、放っといて遊びましょう」

一日中、雪合戦で久しぶりに大笑いした。特に亮は雪玉を作っては、梅に次々と手渡して、たくさん投げさせてくれた。

だが翌日になると、四人とも顔が真っ赤になり、目が痛んだ。以前から外遊びが大好きだった梅と、会津や函館で雪に慣れている捨松は軽症だったが、特に色白の亮は、日焼けも雪目もひどかった。

悌が、そら見たことかと言う。

「いつも屋敷の中にこもっているような、おしとやかな人が、急に雪遊びなんかするからよ」

足止めは十八日に及び、線路の除雪が終わってから、ようやく再出発した。

シカゴで岩倉具視が髷を切り、公家装束から洋装に切り替えた。いくら豪華な絹物を着ていても、西洋人には蛮習（ばんしゅう）にしか見られないと、すでに留学中だった息子たちから、いさめられたのだ。

それを見た悌が伊藤博文に、自分たちもドレスが欲しいと訴えて、ようやく仕立ててもらった。五人は大喜びしたものの、たちまち人気が落ちて、岩倉は渋い顔だった。


ワシントンDCに着くと、薩摩出身の森有礼（もりありのり）が迎えてくれた。梅たちは森の名前は、渡米前に黒田から何度も聞かされていた。

幕府崩壊前、伊藤博文ら五人の長州藩士たちが渡英した一方で、偶然にも同じ時期に、薩摩藩でも十五名の留学生をイギリスに送り出した。

その中のひとりが森有礼だった。しばらくイギリスに滞在した後にアメリカに移り、明治維新後に三年ぶりの帰国を果たした。

すぐに新政府に出仕して、持論である廃刀論を主張した。長い刀を腰に差して歩くのは、外国人の目には野蛮に映る。だから刀を外（はず）そうと訴えたのだ。

しかし、これが武士の誇りを否定するものと見なされ、森は大きな批判にさらされた。そのため官を退き、国元の薩摩に帰って英語塾を開いた。

とはいえ新政府には、英語ができる人材が払底しており、去年、東京に呼び戻されて、外務省に出仕した。そして外交官としてワシントンＤＣに赴任し、弁務使館という日本の外交事務所を開設したのだった。

顔立ちは黒田と同様、眉が濃く、目元の彫りが深い。顔の下半分を覆うほどの黒髭をたくわえていた。

繁が小声で言った。

「ああいうのが薩摩顔っていうのね、きっと」

森は、少女たちの受け入れ家庭を三軒、すでに見つけておいてくれた。梅は亮とふたりで、チャールズ・ランマンとアデリンという年配夫婦の家に預けられた。

ロング公使夫妻は受け入れ先を一軒ずつまわって、引き継ぎをしてくれた。そして梅に別れを惜しんで言った。

――三軒とも立派な方たちだけれど、特にランマン夫妻は優しそうね。いちばん小さい梅のために、森さんが配慮してくれたのでしょう――

森は自身のことだけに、少し照れながらも、そう訳してくれた。

繁と捨松はワシントン市長がみずから預かってくれた。悌は英語ができるために、もう一軒の家に、ひとりで世話になることに決まった。

梅と亮を預かったチャールズ・ランマンは、日本弁務使館で書記官を務めていた。いわば森の補佐役だ。かつては新聞記者として活躍し、長く図書館の司書をしながら、新聞や雑誌に寄稿する文筆家でもあった。

知的で上品な老夫婦だが、子供はおらず、梅たちを優しく迎えてくれた。

その後、森は様子見に来ると約束したが、なかなか姿を見せなかった。

かつて幕府が欧米各国と結んだ条約は、不平等条約だった。その改正交渉を、急遽（きゅうきょ）、岩倉使節団が行うことになり、森は女子留学生の世話どころでなくなってしまったのだ。

二ヶ月ほどして久しぶりに顔を出すと、森は思いがけないことを言った。

「いきなり別れて暮らすのは、どうやら無理があったようだ。一軒、家を借りたから、五人で暮らしなさい。家庭教師や家政婦もつけるし、僕も、もっとひんぱんに様子を見に来るから」

条約交渉は書類の不備により、いったん中断していた。今は伊藤博文と大久保利通が書類を取りに、日本に戻ったという。

帰りを待つ間、使節団は病院や学校や工場など、おのおの興味のある分野の見学におもむき、英語のできる随員が世話していた。そのために森が手すきになったのだった。

梅は、おずおずと森に聞いた。

「このまま、この家にいては駄目？」

ようやくランマン家に馴染んだところだった。しかし森は首を横に振った。

「捨松は函館のフランス人の家にいたことがあって、西洋人には馴れているし、繁はあの性格だから大丈夫そうなんだが、悌が問題なんだ。言葉の壁が厚くて、まともに食事もしないらしい」

梅も亮も驚いた。

「でも、悌さんは英語ができるんでしょう」

森は首を横に振った。

「実は、それほどでもないんだ。それで自信をなくしたらしい。とにかく今は準備期間として、五人で暮らした方がいい」

森がロンドンに留学した時も、最初は皆で家を借り、家庭教師を雇って英語を習ったという。

「そうして、きちんと英語ができるようになってから、おのおの寮のある学校に入る方が、いいと思う」

それに森は、五人がアメリカ人家庭で育つと、あまりにアメリカ的になりすぎることも、懸念している様子だった。

ともあれ五人で再会し、共同生活を始めた。梅は、また亮と同室になった。

森は英語の家庭教師や、身のまわりの世話係を雇い入れ、そのうえピアノを買って、ピアノ教師まで頼んでくれた。アメリカの上流階級の娘は、たいがいピアノの心得があるという。

すると繁が思わぬ才能を発揮した。だれよりも熱心にピアノに向かい、どんどん上達していったのだ。

そうしているうちに、伊藤博文たちが書類をたずさえて日本から戻り、条約交渉が再開された。

森は約束通り、ひんぱんに様子見に来てくれるが、かなり忙しいらしく、あたふたと出ていく。交渉は思うように進まず、疲れた様子が続いた。

使節団の滞在は予想外に長引き、サンフランシスコに上陸してから、はや八ヶ月が過ぎてしまった。

結局、条約交渉は失敗に終わった。そして夏の最中(さなか)に、ようやく使節団はワシントンＤＣを離れ、ヨーロッパへと船出していった。

久しぶりに現れた森の姿に、五人は息を呑んだ。真っ先に繁が叫んだ。

「どうしたの？　髭」

「気分転換さ」

顔の半分をおおっていた黒髭が、きれいさっぱりなくなっていたのだ。

さんざん条約交渉に苦労した挙げ句に、失敗に終わったものの、それでも使節団を送り出して、森は肩の荷が下りたらしい。

髭のない森は、別人のように若く見えた。繁が、いつもの調子で聞く。

「森さんって、本当は若いの？」

「みんな、爺だと思っていただろう。西洋の数え方なら二十四だ。まだ独身だし」

梅にとっては二十四も三十も四十も変わらないが、ほかの四人は目を丸くした。

「あんまり若いと見くびられるんで、髭を生やしていたんだが、とりあえず、うるさいお偉方もいなくなったし、いったん変身だ」

すると繁が大げさな身振りをつけて、流暢な英語で言った。

「ユーアー、ベリーハンサム」

森は少し照れくさそうに笑った。

「英語、うまくなったじゃないか」

その後、森と五人は週末ごとに、サンドイッチを作ってバスケットに詰め、コーヒーのポットやカップもたずさえ、近くの公園にピクニックに出かけた。

訪れるごとに木の葉が黄色や朱色に染まっていく。秋がアメリカ東部で、もっとも美しい季節だという。

公園でサンドイッチを頬張りながら、捨松が言った。

「外で物を食べるなんて、親が知ったら卒倒するわ」

森は芝生に寝そべって、不思議そうに聞く。

「外で物を食べたら、いけないのかい」

「絶対に駄目。会津には什(じゅう)の掟(おきて)という決まりがあって、その六番目が『戸外で物を食べてはなりませぬ』なの。武家の男の子向けの掟だけれど、女も同じよ」

以前、捨松は堅苦しい言葉遣いだったが、今では、すっかり娘らしい口調で、おしゃべりするようになった。

「七番目にはね、『戸外で婦人と言葉を交(まじ)へてはなりませぬ』っていうのもあるのよ」

繁が吹き出した。

「それじゃ、こうして私たちと話してる森さまなんか、不良じゃない」

「そうよ。不良よ」

捨松が断言したので、全員が手を打って笑った。

悌が笑いをおさめて言う。

「でも江戸でだって、こんなふうに外で物を食べるのは、お花見の時くらいよ」

森が不思議そうに聞いた。

「東京には屋台とか、外で飲み食いするところがあるじゃないか」

「あれは下々(しもじも)のもの。そんなはしたないことは、武家の女はいたしません」

また、みんなで笑い転げ、それから繁が立ち上がって歌を披露した。ピアノだけでなく、繁は西洋の歌も上手だった。

「私、ミュージックの学校に進んで、もっとピアノを習いたいわ。日本で最初のピアノの先生になるの」

　森は半身を起き上がらせた。

「それはいいね」

　そして片膝を立てて、ほかの四人を見まわした。

「みんなも、そろそろ先のことを考えておいてくれ。もうしばらくは、このまま五人で英語を身につけて、クリスマスの休暇明けくらいには、学校に入れるようにしよう」

　梅は小学校、ほかの四人は英語の進み具合によって、小学校か女学校に決めるという。

「日本人は小柄だし、若く見えるから、みんな小学校でも大丈夫だ」

　すると繁が頰をふくらませた。

「嫌よ、今さら小さい子供と一緒なんて。私は女学校に入るから」

「それは、これからの君の頑張り次第だな」

　森は笑いながら、黒田から届いた国際郵便をポケットから取り出して、芝生の上に開いた。

「増上寺に開拓使の学校ができたと、黒田さんが知らせてきた。男子の学校は、もう四月から始まっているそうだ。女学校も九月には開校だ。いずれ君たちが帰国する頃には、札幌に移転しているだろうが、そこで教えることもできるぞ」

　繁がなおも不満そうに言う。

「札幌なんて寒いところで教えるの？　私、嫌だわ」

すると捨松が言った。

「大丈夫よ。北海道の家は寒くないように、西洋式に作ってあるから」

「捨松が住んでいた函館の家は、西洋人の住まいだったから、立派に造ってあったんじゃないの?」

「ううん、日本人の家も、寒くないようになってたわよ。それに雪景色もきれいだし、きっと気に入るわ」

森が言い添えた。

「札幌は、黒田さんが力を込めて造っているから、美しい街になるぞ。洋館が立ち並ぶ北の都だ。それこそ雪の季節には、ひときわ美しいだろう」

梅は森に聞いた。

「この辺りでも雪は降る?」

「けっこう降るよ。東京よりも量は多いかもしれない。ホワイト・クリスマスになることもあるし」

梅は指折り数えた。クリスマスが来る頃には、自分は八回目の誕生日を迎える。そうして満八歳で小学校に入学するのだ。

そのまま順調に進めば、女学校を終える頃には、十年の留学期間が終わるはずだった。無事に帰国を果たしたら、開拓使女学校の教師の座が待っている。

今まで何かと心細かったが、ようやく先が見えてきて、心弾む思いがした。

家庭教師の英語のレッスンでは、捨松が抜群の進歩を見せた。梅も繁も話せるようになるのが楽しくて、単語や言いまわしを一生懸命、覚えた。

だが意外なことに、悌と亮の進み具合が遅かった。家庭教師に、このままでは女学校に入れないと、厳しくいさめられる。

すると悌が頭が痛いといって、レッスンに出てこなくなった。翌日も翌々日も、自室にこもり続けた。心配して見に行くと、力なくベッドに横たわっている。

それでいて夜中になると、部屋から出てくる気配がする。食事もおろそかになって、日に日に顔色が悪くなり、頬がこけ始めた。

亮は会話は充分ながら、読み書きが停滞した。夜、自室でランプに本を近づけて、美しい顔を、その紙面にすりつけるようにして、梅に聞く。

「ここ、スペルを教えてくれる？」

梅は気軽にＡＢＣを読み上げた。すると、またしばらくして綴りをたずねる。どうも様子が変だった。

「目、どうかしたの？」

すると亮は慌てて否定した。

「な、なんでもないわ。ただ暗くなると、ちょっとわからなくなって。馬鹿ね、私って」

それから亮は綴りを聞かなくなった。その代わり上達が、いよいよ滞ってしまった。気がつけば梅の方が先んじていた。

ある夜、ふと目を覚ますと、亮が椅子に腰掛けて、両手で顔をおおって泣いていた。梅は驚いてベッドから飛び起きた。

「どうしたの？　何が悲しいの？」

亮は首を横に振った。

「なんでもないの。泣いたりして、ごめんなさい。気にしないで、もう寝ましょう」

そういえば、その日も家庭教師の前で音読ができず、厳しく叱られていた。

「もしかして」

梅は、おそるおそる聞いた。

「目、見えないの？　見えないんでしょう？」

すると亮は、また両手で顔をおおって泣いた。

梅は自分の言葉に確信した。目が見えなくなっていたから、英語の進み具合が遅いのだ。大変なことになってしまったと、梅は呆然と立ちすくんだ。

翌日、すぐに森は、亮を眼科医のもとに連れて行った。

そして家に戻ってくるなり、全員を呼び集めた。だが悌は、また頭痛だと言って、部屋から出てこない。もはや仲間たちと顔を合わせるのも避けていた。

しかたなく森は、自分のかたわらの椅子に亮を座らせ、ほかの三人にもテーブルを囲ませた。

そして神妙な顔で話し始めた。

「亮の目は、ほとんど見えていないそうだ。ソルトレイクシティで雪目になったのが原因らしい」

梅は絶句した。列車が不通になって、さんざん雪合戦を楽しんでから、もう何ヶ月も経っている。そんな前から眼病が進んでいたとは信じがたかった。

「医者が言うには、少しずつ少しずつ見えにくくなったそうだ。ゆっくり悪くなっていくから、亮自身も自覚しにくかったらしい」

正面から見ると、亮の茶色みがかった瞳が、いつのまにか白く濁っていた。

森は両手をテーブルの上で組んで、話を続けた。

「幸い、手術をすれば治るそうだ。そう難しい手術ではない。日本でも御一新前から長崎で始まって、今では全国に広まっている」

梅は胸をなでおろした。

だが突然、亮がテーブルに泣き伏した。梅も繁も捨松も驚いて、おろおろと聞いた。

「どうしたの？　なぜ泣くの？　手術すれば治るんでしょう」

号泣する亮に代わって、森が答えた。

「亮は申し訳ながっている。このままでは英語が上達せず、クリスマス明けに学校にも入れない。せっかく留学させてもらったのに、開拓使にも申し訳が立たないし、皆の足を引っ張ってすまないと」

するとが立ち上がって、明るく言った。

「そんなこと気にしないで。早く手術して、早く学校に行きましょうよ」

だが亮は突っ伏したまま泣くばかりだ。もういちど森が代弁した。

「亮は怖いそうだ。言葉も通じない医者の、手術を受けることが」

すると繁は一転、苛立たしげに言った。

「そんなこと乗り越えなくちゃ。勇気を出して、手術を受けてよ。せっかくアメリカまで来たんだから」

話しながら、繁も気が高ぶって、声が潤み始めている。きついことを言いながらも、亮の眼病が衝撃だったのだ。

森が悌の部屋を目で示した。

「もうひとつ、大きな問題がある」

誰もが黙り込んだ。悌が普通の状態ではないことは、梅にも、ほかの三人にもわかっていた。

　森は一同を見まわしてから、思い切ったように言った。

「悌は心を病んでいる。もう無理だ。亮と一緒に日本に帰そうと思う」

　まったく予想できなかったことではないが、実際に言い渡されると、誰ひとり返す言葉がない。

「僕たちが留学した時も、いっせいに渡英したけれど、帰国の時期はまちまちだった。伊藤さんだって、イギリスに留学したって言うけど、ごく短期だった。事情に応じて帰国するのは、仕方ないと思う」

　もういちど悌の部屋を振り返った。

「もう悌とは話をしてある。悌は英語に自信があったのに、年下の君たちが先に上達したのが、耐えられなかったらしい。確かに幼い方が上達は早いのだが、それを受け入れられないんだ」

　自分が駄目なのだと、思い込んでしまっているという。

「でも発音は悪くないし、開拓使女学校で、外国人教師の助手くらいは務まるだろう。だから今は亮と一緒に帰った方がいい。少なくとも一年は頑張ったんだから」

　そこまで聞いて、急に梅は哀しくなった。アメリカ号の船内から、亮とは一緒の寝台に寝て、一緒に暮らしてきた。

別れ別れになることも耐えられないが、それよりも悔いが先に立つ。ずっと一緒だったのに、目が見えなくなっていたことに、気づいてあげられなかった。それが申し訳なくてたまらない。

だが自分の気持ちを、うまく説明できない。混乱しているうちに大粒の涙がこぼれた。

「嫌だ」

涙と一緒に、わがままも溢(あふ)れ出た。

「帰っちゃ、嫌だ」

言わずにはいられない。

かぶりを振っているうちに、大きな声が口から飛び出して、号泣になった。

横浜での父との別れの際には、艀船が離岸するまで、人目をはばかって涙をこらえた。でも今は我慢などできない。

亮が慌てて立ち上がり、テーブルの端を手で探りながら近づいてくる。そういえば以前にも、こんな仕草を見た覚えがある。ずいぶん前から見えていなかったのだ。

亮は梅のかたわらにしゃがむと、両手で梅の手を握った。

「梅、ごめんね。一緒にいられなくて、ごめんなさい」

見えない目から、色白の頬に涙がこぼれる。梅は泣き叫び続けた。

「嫌だ、嫌だ、ふたりが日本に帰るのなら、私も帰る」

聞き分けのないことだとわかっている。でも今まで我慢してきたことが、何もかも一気に爆発してしまった。

すると繁も立ったまま、突然、大声で泣き出した。

「私だって帰りたい。日本に帰りたい」

森が眉をひそめてなだめた。

「でも繁は、ミュージックの学校に進むんだろう」

繁は涙声で言う。

「もう嫌。私は皆が暗くならないように、一生懸命、明るくしてきたけど、もう駄目なの。もう帰りたい。私も日本に帰る」

梅は繁の明るさが生来(せいらい)のものだと思い込んでいた。それが皆のために努力していたとは、まったく気づかなかった。

もはや誰もが、隠していた自分をさらけ出していた。ただ捨松だけが黙り込んでいる。

森が深い溜息をついて、捨松に聞いた。

「こういう状態だが、君は、どうする？」

捨松が口を開く前に、繁が叫んだ。

「捨松も帰ろう。皆で一緒に帰ろうよ。一年は頑張ったんだから、胸を張って帰れるから」

だが捨松は、ゆっくりと首を横に振った。

「私は帰らない。ひとりになっても」

繁が信じがたいという顔で聞いた。

「なぜ？」

「私は親に捨てられたの」

「違うッ。そういうつもりで待ってるって意味でしょッ」

「そうじゃないの。本気よ。うちの母は娘を捨てなければならないほど、追い詰められているの」

捨松は意外なほど淡々と話した。

「私は東京に家がある皆とは違うの。私が生まれ育った家は、あの会津戦争の日に、燃えてなくなったのよ。真っ黒な煙を上げて、後は焼け野原になって。だから私には帰る家がないの」

すぐさま繁が反論した。

「捨松はね、会津を背負いすぎてる。会津藩が負けたのだって、故郷を追われたのだって、何ひとつ捨松のせいじゃないんだから。什の掟だって時代遅れだし。もう会津のことなんか、忘れてよッ」

すると捨松は強い口調に変わった。

「無理よ。忘れられない」

「なぜ？」

「だって私は」

ひとつ息をついて続けた。

「会津で生まれ育ったから」

かすかに微笑んで言う。

「什の掟は時代遅れかもしれないけれど、最後は『ならぬことはならぬものです』で締めくくるのよ。会津で生まれ育った者には、それが体の中に染みついているの。今、帰るのは、ならぬことだと思う」

もうひとつ息をついてから、きっぱりと言った。

「私はね、立派にならない限り、けっして日本には戻れない。アメリカで大学まで出て、十年の留学期間を全うして、それからじゃなければ帰れない。その使命が、私の捨松という名前に込められているのよ」

「馬鹿ッ」

繁が大声で怒鳴った。

「捨松の馬鹿ッ。会津のことなんか、どうでもいいじゃないッ」

しかし捨松は気丈にも首を横に振った。

「どうでもよくはないの。私は皆とは違うから」

「同じよッ。同じようにアメリカに来た仲間だもの。五人で一緒に帰ろうよッ」

「違う。みんなは死ぬ思いなんか、したことがないでしょう。私はしたのよ。会津のお城の中で、目と鼻の先で大砲の弾が次々と爆発して、もう死ぬんだなって覚悟したの。今の梅くらいの歳だった」

梅は激しい衝撃を受けた。今の自分には、生きるか死ぬかの思いなど、想像すらできない。

とうとう繁も返す言葉を失った。気まずい沈黙が続く。

森が梅と繁を交互に見て口を開いた。

「ならば捨松ひとりが残って、ほかの四人は帰国。それでいいんだな」

そう断言されると、また心が揺れる。捨松ひとりを残すのが哀れだった。

それを見透かしたかのように、森が梅に視線を据えた。

「これは津田さんから黙っていてくれと、手紙で頼まれたから、梅には伝えなかったが、大事なことがある」

梅は何事かと身構えた。

「津田さんは開拓使を辞めたんだ。それも君たちが日本を発った翌月だ」

森は、いかにも悔しそうに話す。

「みっともない大人の話だが、同僚たちから非難を浴びたんだ。自分の娘を留学させたいがために、黒田長官に取り入ったと」

梅は驚きのあまり、激しく首を横に振った。でも自分の思いを、うまく説明できない。すると森は小刻みにうなずいた。

「わかっている。津田さんに、そんな意図がなかったことは。でも馬鹿なやつらが言うんだ。女に留学なんかさせて何になるって。津田さんは、それに立ち向かったけれど、多勢に無勢で、疲れてしまったんだろうな」

仙は開拓使を辞めてから、大蔵省の勧農寮（かんのうりょう）という役所に移ったという。

「でも、そこでも留学の件が噂になって、わずか一ヶ月で退職した。それからは自分の農場に専念しているそうだ」

今年はアスパラガスが豊作で、缶詰製造機を輸入して、アスパラガスの缶詰を大量に出荷しているという。

梅は父の農場を思い出した。

アスパラガスは発芽してから、最低二年は株を育てなければならない。梅が手伝った頃は、まだ株が小さくて、ひと株から一本か二本しか切り取れなかった。

だが、あれから育て続けて、今年は充分な収穫があったに違いなかった。

「まだ梅には、こんな話は難しいかもしれないけれど」

森は、いったん口を閉ざしてから、また話し出した。

「僕もそうだが、津田さんも器用に立ちまわれる人じゃあない。君を留学させた結果、自分が犠牲（ぎせい）になったようなものだ。でも悔いてはいないはずだ。だから、お父上の思いには、どうか応(こた)えてもらいたい」

梅は心が揺れるばかりで、ただ黙り込むしかなかった。

その夜、亮とふたりで、自室のベッドに並んで腰かけて話をした。

「梅、私はね、たとえ目が見えなくならなかったとしても、駄目だった気がするの」

「どういう意味？」

「悌と同じ。あなたたちの英語が、どんどん上手になるのに、自分は遅れを取る。なのに、それを認めたくない。それが正直な気持ちよ」

「違う。悌とは違うでしょう。亮は目が見えなくなったんだから」

「目が見えないのは、言い訳のような気がするの。私も自信がないのよ。これから十年、ここでやっていく自信が」

亮は寂しげに微笑んだ。

「お嫁にも行きたいの。だったら、なぜ留学なんかしたのかって、呆れるでしょうけれど」

でも、つらくなると、つい結婚に逃げたくなるという。

「梅は十年経って帰国しても、まだまだ、お嫁に行ける歳だけれど。悌だって、そのことも気にしているのだと思う。つまりは私たち、覚悟ができてなかったのよね」

「そんなこと」

「いいえ、今日、捨松の話を聞いて、私は思い知ったの。本当は私たちは皆、捨松みたいな覚悟を持たなきゃならなかったのよ。幕府だって本当は、新政府に反抗した逆賊なのだから」

梅には何ひとつ反論できない。亮は宙を見つめたままで、なおも語り続けた。

「私はね、意気地なしだった。もっと早くお医者さまに診てもらえば、目薬だけで治ったかもしれないのに、自分の病気から目をそむけ続けたのよ。もしかしたら一生、目が見えなくなるかもしれないって、考えるだけでも怖くて。せっかく留学させていただいているのに、目が見えなくて勉強できないなんて、認めたくなくて。だから見える、見えるんだって、自分まで騙して」

ふいに梅の方に顔を向けた。だが目の焦点は定まっていない。

「でも、やっぱり梅には残って欲しい。意気地なしの私が言うのも、おこがましいけれど。でも今、あなたまで巻き添えにしたら、いよいよ申し訳が立たない。梅の父上さまに対しても。だから」

父のことを言われると心が痛い。娘の留学のために犠牲になった父。なのに、わずか一年で帰ったら、どれほど落胆させるか。

最後に別れた時の光景が、まざまざとよみがえる。冷たい海風が吹きつける中、父は桟橋に立って艀船を見送っていた。

次に会う時には、笑顔で迎えてもらいたい。でも、それは今ではない。十年後にしか見られない笑顔なのだ。大好きな父を、どうしても喜ばせたい。

「やっぱり」

梅の声がかすれる。

「私は」

迷いを抱きながらも、最後のひと言を、聞き取れないほどの小声で言った。

「帰れない」

亮が声を高めた。

「梅、本当？」

返事をする前に、ドアがノックされた。

「どうぞ」

亮が応じると、開いたドアの向こうには、泣きはらした顔の繁が立っていた。その後ろに捨松の姿も見える。

繁はドアノブをつかんだまま、うつむき加減に告げた。

「梅、ごめん。私、残ることにしたの。捨松をひとりにできない」

亮が見えない視線を泳がせ、声をうわずらせた。

「そうなの？　たった今、梅も残るって決めたところ」

次の瞬間、繁の後ろで、捨松が泣き崩れた。

梅は部屋から飛び出した。そして捨松に駆け寄って、細い肩を抱いた。

「ごめんなさい。わがまま言って。でも帰らない。一緒に残る。一緒に残るから」

もう迷いは吹っ切れていた。

捨松はしゃくりを上げながら言う。

「怖かった。ひとりで残るなんて、本当は怖かった」

くちびるをふるわせて言う。

「本当は、私だって帰りたいって、言いたかった。大声で叫び出したかった」

梅は初めて知った。捨松は気丈なふりをして、懸命にこらえていたのだと。

繁は皆が暗くならないように、あえて明るくふるまってきた。亮は見えない目で、必死にスペルを読み取ろうと努めてきた。失明の恐怖とも戦ってきた。悌だって英語が上達しない焦りを、自分の胸にだけ秘めてきた。

だれもが重いものを抱えている。それぞれが黙って、こらえ続けてきた。梅は自分も耐えなければいけないのだと気づいた。

捨松は涙だらけの顔を上げた。

「梅、ありがとう。残ってくれて」

梅の手をたぐり寄せて、胸元で握った。

「嬉しい。梅も繁も残ってくれて。これからも、私は」

泣き笑いの顔になって言い切った。

「私は、ひとりじゃない」

繁も捨松のかたわらに、しゃがみこんで泣いた。

気づけば亮も、そして悌までもが部屋から出て、涙にくれていた。

三　仙の再起

横浜で梅を見送ってから、半年が経った明治五年（一八七二）五月末のことだった。津田仙は少し緊張の面持ちで、赤坂新町から南に向かう坂を昇りきった。後ろからは妻の初がついてくる。

坂上の角地にあるのは、維新前から残る旗本屋敷だ。門前で声を掛けると、年寄りの下男が、のろのろと潜戸を開けてくれた。

「津田仙と申す。勝海舟先生は、ご在宅か」

下男は耳が遠いのか、とにかく玄関へと手で示し、何度も頭を下げる。

夫婦で前庭を進むと、樹木も下草も伸び放題で、植木屋が入った気配はない。初が小声で言った。

「まだ、お引っ越しされて間もないし、海軍大輔のお役目も受けられたばかりで、慌ただしくしておいでなのでしょうね」

「うむ、そうだな」

玄関先で、また仙が声を掛けると、たおやかな雰囲気の女が現れた。

昔から旗本屋敷では、表玄関は男の中間（ちゅうげん）や若党（わかとう）が取り次ぐものと決まっていたが、この屋敷は常識破りで驚かされる。

仙は気を取り直して、もういちど名乗った。

「瓦解（がかい）前に外国方で通詞をしておりました津田仙と申します。勝海舟先生に、お目通りを願いたい」

旧幕臣の間では幕府崩壊を瓦解と呼ぶ。海舟は今日、海軍大輔の役目が非番で、自邸にいるはずだった。

女は優美な身のこなしで、いったん奥に引っ込んだが、すぐに戻ってきた。

「どうぞ、お上がりください。書斎でお目にかかるそうです」

女は先に立って長い畳廊下を進む。畳表は黄ばんで毛羽（けば）立っている。やはり引っ越してから手がまわらないらしい。

通りがかる部屋は、どこも襖が開け放たれて、床の間（とこのま）には置物ひとつなく、殺風景だ。

廊下の突き当たりの襖際で、女は床に膝をついて声をかけた。

「津田さまご夫妻が、お見えになりました」

奥から返事がある。

「ああ、入ってもらいなさい」

仙は少し緊張しつつ敷居をまたいだ。勝海舟という名前だけは、よく聞いてはいるものの、会うのは初めてだった。

中は四畳半で、正面の鴨居に「海舟書屋」と横書きにされた額が掲げてあった。壁際には本棚が並び、和綴本と革表紙の蘭書とが、きちんと整理して置かれていた。

座敷の中ほどに、海舟は座っていた。予想よりも小柄で、後ろになでつけた断髪には白いものが交じる。こざっぱりはしているものの、古びた木綿の着流し姿だ。

今年五十歳のはずだが、大きな目が鋭い。その目で凝視されて、仙はたじろいだ。いかにも修羅場をくぐり抜けてきた男の厳しさが、直に伝わってきたのだ。

海舟は表情を和らげて言った。

「まあ、そこに並んで、お座り」

他人の目の前で、武家の夫婦が並んで座るなど、まずありえない。仙は正座しながら、いよいよ固くなった。

すると海舟が、いきなり聞いた。

「金だね?」

図星だった。なぜ見抜かれたのか、戸惑うばかりだ。

幕府崩壊時、勝海舟は、徳川家の総責任者として江戸城を預かり、無血開城を成し遂げた。

その後、主家の移封に従って、静岡に移住した。

以来、徳川家の財産を管理し、旧幕臣たちの新規事業に出資している。もはや徳川家には旧幕臣を養える財力はなく、それぞれが仕事を始めなければならなかった。その初期費用を、海舟は貸しつけてきたのだ。

その海舟が東京に戻ってきて、赤坂に落ち着いたと耳にし、さっそく仙も借金を申し込みに来たのだった。

海舟は煙草盆を引き寄せた。

「なぜ金とわかったのか、合点(がてん)がいかない顔だね」

何もかも見抜かれていて、仙には答えようがない。すると海舟は片頬をゆるめた。

「ここんところ、夫婦揃って来るやつは、借金と決まってる。俺が金を渡す時には、かならず夫婦で呼ぶってことが広まって、最初から夫婦で来やがる」

仙は恐縮して言った。

「それは失礼しました」

だが意外にも海舟は笑い出した。

「別にかまわねえよ。夫婦で来てもらった方が、こっちも話が早い。金に関しちゃ、男はいい加減なやつが多いが、その点、女はきっちりしてる。だから夫婦で呼ぶことにしてるんだ」

煙管(きせる)に刻み煙草を詰めながら聞いた。

「で、もと通詞さんが、いったい何に使おうってんだい？」

仙は脈がないわけではないと気づいて、意気込んで話し始めた。

「缶詰を作る道具と、大量の缶を輸入したいのです」

そして初を振り返って言った。

「あれを」

初は持参の風呂敷包みを手早くほどいた。中から細長い空き缶ひとつと、白と緑の生のアスパラガスを、ひと束ずつ取り出す。

仙は白いアスパラガスと空き缶を差し出した。

「これはアスパラガスという西洋野菜で、今年の初物です。こちらの缶はアメリカからの輸入品で、もとはアスパラガスの水煮が入っていました。横浜や築地の外国人居留地、それから神戸や長崎、函館でも、欧米人がいるところなら、どこでも輸入品が出まわっています」

海舟は煙管を煙草盆に戻し、空き缶を手に取って、外側に張ってある絵を見た。

「ああ、これか。サンフランシスコに行った時に食ったな。最初は、えぐ味が気になったが、そのうち、それが妙に美味（うま）く感じたもんだ」

海舟は幕府海軍の創設者のひとりであり、咸臨（かんりん）丸を操船して太平洋横断航海を成し遂げた経験を持つ。

幕府は明治維新までに、何組もの使節団を海外に送り出したが、幕府軍艦で渡航したのは、咸臨丸が最初で最後だった。

「ご存知でしたか。実は私は三田で西洋野菜を育てていまして、今年、アスパラガスが大量に収穫できそうなのです。しばらくは生のまま築地や横浜に出荷するつもりですが、それでは収穫期が過ぎたら終わりなので、缶詰にしたいのです。うちで作れば、輸入品の半値以下で売り出せます」

グリーンアスパラの束も差し出した。海舟は手に取って不思議そうな顔をした。

「緑色のもあるのかい。俺がサンフランシスコで食ったのは、そっちの白いやつだったな」

仙は、ようやく笑顔になった。

「白も緑も、どちらも同じ株からできますが、缶詰用には土をかぶせて、光を当てずに育てると、こうして白くなるのです」

海舟は感心したように言う。

「なるほど。で、どういう仕掛けで缶に詰めるんだい？」

「鉄製の器具があるのです。新しい空き缶に、白アスパラガスの水煮を入れて、器具に据えます。そこにふたを載せて、鉄製の取っ手を、ぎゅっと下げると、ふたの周囲に圧力がかかって、密閉される仕掛けです」

「茹でるのは女房も手伝うのかい？」

海舟に聞かれて、初が慌てて返事をした。

「致します。今も刈り入れや、草取りも手伝っております」

もういちど海舟は空き缶を手に取った。

「これは売れそうだな。うちに借金を申し込みに来るやつらの話で、うまくいきそうなのは滅多にないが、これは見込みがありそうだ」

「ならば、貸していただけますかッ」

仙は勢い込んで聞いたが、海舟は片手を上げて制した。

「その前に、おまえさんが西洋野菜を手がけた理由を、まず聞かしてもらいたい」

「わかりました。もともとは軍艦買いつけの通詞としてアメリカに行った時に、向こうの農家の豊かさに驚いたのがきっかけです」

福沢諭吉たちと渡米した話から、新潟で新政府軍と対戦したこと、さらに長崎で茶を輸出する女貿易商に驚いた件も、ありのままに話した。

「瓦解後に西洋野菜を作っていたところ、築地のホテル館に雇われ、さらに開拓使や大蔵省に出仕したこともありました。でも長くは続かず、また農場専業に戻った次第です」

海舟は少し眉をひそめた。

「なぜ開拓使や大蔵省が続かなかった?」

仙は、この相手には、ごまかしがきかないと覚悟して打ち明けた。

「去年、開拓使から女子留学生がアメリカに向かったことは、ご存知ですか」

「ああ、えらく評判になった件だな」

「あの留学生の中で最年少が、私どもの娘です」

明らかに海舟の顔が変わった。呆れられたのかもしれないが、今さら隠し立てはできず、仙は話を続けた。

「開拓使の黒田長官は、私の洋式農業の研究を評価して、開拓使学校で教授になれと勧めてくれました。でも、それが周囲のやっかみを招いたのです。津田は教授の地位を手に入れるために、年端もいかない娘を差し出したと、さんざん言い立てられました」

女子留学生の派遣など無駄金だと、非難する者も多かった。発案は黒田自身だったが、本当は仙の提言だろうと疑われ、余計なことをしてくれたとののしられた。

「開拓使は薩摩人が多いので、男尊女卑の気風が特に強く、女子留学の意味を理解しないのです。ただただ無意味だと言うばかりで。その後、私は大蔵省でも農業改革の機会を与えられましたが、また同じことでした」

海舟は腕組みをして言った。

「いかにも、ありそうな話だな」

「私は開拓使で大きな夢を見ました。北海道の大地に合った作物を育て、乳牛を飼ってバターやチーズを作って、日本人の体格を向上させたかった。でも無理でした」

仙が話し終えると、海舟は少し身を乗り出した。

「もうひとつだけ聞いておきたい。開拓使や大蔵省での夢はついえた。ならば次の夢は何だ？　アスパラガスの缶詰が売れて、もし大儲けできたら、おまえさんは何をしたい？」

　仙は少し考えてから答えた。

「そう簡単に上手くいくとは考えていませんが、もしも儲けが出せたら、農業を教える学校を開きたいと思います。若い者に新しい農業を教えて、それを日本中に広めさせたいのです。そうして日本の農家を豊かにしたい。日本人の体格を向上させたい。そんなところです」

　夢を口にしているうちに楽しくなってきた。

　すると海舟は、かたわらの文机から紙束を取り上げ、細筆に墨を含ませて聞いた。

「で、いくら要り用だい？」

　仙は驚いた。いきなり承諾してもらえようとは、思ってもみなかったのだ。

「貸していただけるのですか」

「借りにきたんだろう」

「そ、そうですが」

「それなら額がわからなきゃ貸しようがねえ。手形を出すから、そこいらの両替商に持っていきゃ、現金にしてもらえるよ」

　仙は妻の顔を見た。初も目を丸くしていたが、大慌てで、ふところから紙片を取り出した。そこには横浜のイギリス人貿易商から示された金額が書いてある。

仙が受け取って海舟に差し出した。

「貿易商と話がついているので、注文すれば、すぐにでも器具も空き缶も、香港から取り寄せるそうです。そうすれば今年の収穫には間に合います」

海舟は手形の用紙に金額を書き入れて、初に手渡した。

「俺は、おまえさんの旦那の心意気も気に入ったが、おまえさん夫婦が年端もいかない娘をアメリカに留学させたってとこが、いたく気に入ったんだ。たいした夫婦だよ、ふたりとも」

仙も初も戸惑うばかりだ。梅の留学の件では、今までに誰ひとり賛同する者がいなかったのだ。

海舟は笑顔を見せた。

「女の力を見くびっちゃならねえよ。うちじゃ、男の奉公人は下男の爺さんひとりで、あとは女ばっかりだ。瓦解の時に、新政府軍が大砲を引っ張って、俺の屋敷を取り囲んだことがあったんだが、その時だって、女だけで追い払った」

兵士たちはむやみに発砲し、土足で屋敷に駆け込んで、海舟を探しまわったという。

「俺は、そんなこともあろうかと思って、しばらく自分の屋敷に帰らねえでいたんだけどな」

すると激高（げっこう）する兵士たちを前に、海舟の妻が大鍋を煮立て、貴重な砂糖をすべて投げ入れて、砂糖湯を作ってふるまった。兵士たちにとっては、甘いものなど滅多に口に入るものではなく、すっかり気勢をそがれて、すごすごと退散したという。

「女には女の知恵がある。おまえさんは長崎で茶貿易の女商人を知ったそうだが、大浦慶のことだろう」

「その通りです」

「あれは大した女だ。静岡に移住した幕臣たちが、茶で外貨が稼げるって聞いて、丘の斜面を切り開いて茶園にした。もう横浜から茶を輸出し始めてるよ」

女が始めた事業を、男たちが、こぞって真似(まね)ているという。

「それにしても瓦解以来、幕臣だった者は、誰でも苦労してる。岩倉使節団だって、幕府の通詞だったやつらが手伝わなけりゃ、何ひとつできねえ。なのに上の地位に居座って偉そうにしてるのは、薩長出身のやつらばっかりだ。俺も今回、海軍に出仕はしたが、うまくいかねえ」

以前から海舟には、新政府の外務大丞(だいじょう)や兵部(ひょうぶ)大丞の誘いがあり、断りきれなくて承諾したものの、翌日に辞任してきたという。

だが今度は海軍大輔という海軍の頂点を任されて、とうとう本気になり、静岡から出てきたのだった。

「海舟の名の通り、俺には海に思い入れがあるんでな。けど来てみたら、諸藩の海軍がどんぐりの背比べで、どこかの藩に抜きん出られちゃ困るってんで、俺をてっぺんに据えただけさ。だから俺の言うことなんか、誰も聞きやしねえ」

旧幕臣には生きにくい時代だが、文句を言っていても仕方ないので、とにかく頑張るしかないという。

「おまえさんたちの小さい娘だって、きっと今頃、健気にアメリカで頑張ってることだろうよ」

梅が一生懸命、英語の稽古をする姿が、仙の脳裏に浮かんだ。可愛い声で、子供向けの本を読んでいるに違いなかった。

「その子が帰国したあかつきにゃ、女に留学させて何になるって言ったやつらを、きっと見返してやれるさ。おまえさんたちも娘に負けねえように頑張れよ」

仙の喉元に熱いものがこみ上げる。となりでは初が、しきりに指先で目元を押さえていた。

海舟は空き缶を返しながら、言葉に力を込めた。

「アスパラガスの缶詰、売れるぞ。俺が太鼓判を押す」

ありがたい励ましだった。

帰りがけに、仙は、雑草が伸び放題の庭先を見て申し出た。

「庭の草刈りに人を寄越しましょうか。農場の手伝いに来る者がおりますので」

すると海舟は首を横に振った。

「いや、伸び放題がいいんだ。自然の風情で」

「でも草が茂ると、虫がわくでしょう」

「いいんだ。虫がいりゃあ、鳥が来て食う。この年になると、鳥を見てると、心がいやされるんでな。だから庭は、このままでいいのさ」

　そして玄関の方を目で示した。

「まあ、だだっ広い屋敷だから、そのうち庭のあちこちを耕して、静岡から茶の苗を持ってきて、植えようかとも思ってる。親戚だの書生だのが住みついてるし、そいつらを使えば人手は要らねえけど、その時は知恵を貸してくれ」

　仙は笑顔で答えた。

「お安い御用です」

　そして帰り道、赤坂新町への坂を降りながら、初に言った。

「大した人物だったな」

　初も歩きながらうなずいた。

「本当に」

「徳川さまの資産を握っているのに、あの質素な暮らしぶりだ。床の間の高価な置物を眺めるよりも、庭に来る鳥を眺めるのが、お好きとはな」

「畳替えをなさるよりも、私たちに、お金をまわしてくださるのですね」

「そうだな。新政府の成り上がりどもとは、大違いだ」

　新政府高官たちは壮大な屋敷を建て、贅（ぜい）を尽くして暮らしている。それと比べると、清々（すがすが）しいほどだった。

それでも海舟を嫌う者は少なくない。新政府側はもちろん、旧幕臣たちの間でも評価は分かれる。福沢諭吉も嫌うひとりだ。

諭吉の三度にわたる外遊の最初が、咸臨丸での渡米だった。海舟は艦長であり、諭吉は渡米副使の従者にすぎなかったが、その頃から反感を抱いていたらしい。

仙は今日、会って早々に、借金を見抜かれた。あれは海舟ならではの手に違いなかった。話を先んじるための話術だ。あの交渉術をもって、新政府軍から江戸無血開城を勝ち取ったのは疑いない。

それをわずらわしく感じる者は、海舟を嫌う。だが仙には気にならなかった。むしろ共感する部分が多い。

「それにしても、梅の留学を褒められたのには、驚いたな」

初も、しみじみと言った。

「わかってくださる方は、いらっしゃるんですね」

「そうだな」

この坂を昇ってきた時には緊張していたが、今は来てよかったという思いが、心に満ちる。

「梅が帰国したら、女に留学させて何になるって言ったやつらを、見返してやれるって仰せだったが、きっと、その通りになる」

また幼い娘の姿を思い描き、その帰国を夢見つつ、夫婦で肩を並べて坂を下った。

夏が過ぎ、秋が来て、アスパラガスに真っ赤な実が生り、さらに木枯らしが吹いて、三田の農場は、すっかり冬枯れの薄茶一色になった。

仙が農場の井戸端で、鍬の手入れをしていると、初が郵便で届いた封書を差し出した。

「あなた、横浜から、お手紙です」

仙は手を止めずに答えた。

「また追加注文だろう。缶詰は来年でなければ送れないと、返事を出しておけ」

アスパラガスの缶詰は大成功だった。作る端から売れていき、今年の収穫分は、とっくに品切れになっている。

初は戸惑い顔で言う。

「でも差出人は西洋人の名前ですよ。中身は英語のようですし」

ようやく仙は鍬を置いて、手紙を受け取った。開いて読んでみると、国内向けの注文ではなかった。

読み終えるなり、思わず声が弾んだ。

「初、聞けッ。まとまった量のアスパラガスを、香港に輸出したいそうだ」

初の声も高まる。

「本当ですかッ」

「ああ、横浜から香港への輸送料を加えても、アメリカ製の缶詰よりも、まだまだ安く売れるらしい」

仙は思わず拳を握りしめた。

「輸出すれば、外貨を得られる。いよいよ、お国のためになるぞッ。来年は、また種蒔きから始めて、大々的に株を増やそう」

夫婦で大喜びをしていると、隣地の慶應義塾の方から、男女ふたりが寄り添って、こちらに向かって歩いてくるのが見えた。

なんとなく様子が変で眺めていると、年の離れた男女のようで、若い娘が年配の男の洋服の裾をつかんで歩いている。どうやら目が不自由らしい。

さらに近づいてきて、仙は男が吉益正雄(よします)だと気づいた。かつては幕府外国方の同僚で、今は外務省に勤めているはずだった。娘が梅の留学仲間だ。

吉益も仙に気づいて、大きく片手を振った。

「おお、久しぶりだな」

仙は笑顔で近づいた。

だが途中で足を止めた。吉益の上着の裾をつかんでいるのが、ほかでもない梅の留学仲間の亮だったのだ。

なぜ、ここにいるのか。アメリカ留学は、どうしたのか。戸惑っているうちに、吉益の方から近づいてきて言った。

「娘が眼病を患って、一年で帰ってきてしまったんだ」

そういうことかと合点がいくと同時に、亮を気の毒に感じた。

「そうだったのか」

慰めの言葉もないが、吉益は明るく言う。

「手術を受ければ、見えるようになるそうだ。今日、眼科の医者に診てもらってきたし、手術の日取りも決めてきた」

背後で亮が仙に向かって頭を下げる。渡米前から美しい娘だったが、目の焦点が定まらないのが痛々しい。

それでも治ると聞いて、仙も明るく応じた。

「そうか、それはよかったな」

吉益は娘を振り返りながら言う。

「手術すると回復に日数がかかるし、その前に、ここに来たいと、娘が言うんで」

「そうだったのか。気を使わせて、すまなかったな。とにかく家の中へ」

仙が先に立ち、初が亮の手を取って、家の中へと導いた。

座敷に正座すると、亮は前を向いたまま、アメリカでの暮らしぶりから、帰国することになった経緯までを、詳しく語った。仙も初も黙って聞き入った。

「せっかく留学させていただいたのに、こんなていたらくで、本当に申し訳なく思っています」

両手を前について深々と頭を下げる。

仙は首を横に振った。

「病気は仕方ないことです。特に目は」

あまりに打ちひしがれており、慰めるつもりで自分の体験を語った。

「実は私にも、目が見えなくなったことがありました。まだ幼い頃に疱瘡(ほうそう)にかかって、そのせいで視力が冒されたのです。今まで見えていた世界が見えなくなった恐怖は、幼心(おさなごころ)にも、よく覚えています。あの感情は、体験したものでなければわかりません。さぞやアメリカで、つらい思いをしたことでしょう」

すると亮は白い頬に、ぽろりと涙をこぼした。

「私のことよりも、小さい梅さんに哀しい思いをさせてしまって、それが本当に申し訳なくて」

仙は穏やかに答えた。

「いいえ、幼いながらも自分で残ると決めたのですから。それに、いっそ頼る人がいなければ、これからはアメリカ人の家に馴染むしかないでしょう」

下座(しもざ)に控えていた初も、言葉を添えた。

「慣れない外国で優しくしていただいて、さぞや娘も、ありがたかったと思います」

仙は吉益に聞いた。

「で、開拓使には行ったのか」

「とりあえず私と上田と亮の三人で、黒田長官のところに挨拶に行ってきた」

悌（てい）の父親である上田畯（しゅん）も一緒に帰国を報告しに行ったが、悌本人は、まだしばらく人前に出られそうにないという。

「亮の目が治った頃に、もし上田の娘もよくなっていたら、父娘ふた組で、もういちど挨拶に行こうとは思っている」

今回、黒田清隆は拍子抜けするほどあっさりと、ふたりの帰国を認めたという。

「ただ、ほかの役人たちは収まらない。女なんか留学させるからだと、嫌味たっぷりに言われた。アメリカでは森さんが娘たちに、開拓使女学校の助手でもすればいいと言ったらしいが、それどころではなかった」

仙は開拓使の嫌な雰囲気が想像できた。しかし梅に優しくしてくれた亮だけに、放ってはおけない。

「もし英語を教える気があるのなら、知り合いの宣教師に頼んでみるが、どうだろう。女子向けのミッションスクールを開校する動きもあるし、助手の口ならあると思う」

仙の野菜の顧客には、外国人宣教師も多い。

だが亮は自信なげにうつむき、代わりに父親が答えた。

「ありがたい。いつか頼むかもしれない。ただ、とにかく今は目を治すのが先だ」

「そうだな。元気になって、また来てくれ。いつでも力になる。なにせ梅が世話になった恩人だからな」

亮は、ようやく微笑んだ。

父娘が帰っていくのを見送って、初がつぶやいた。

「それにしても、捨松さんの覚悟は立派ですね」

「そうだな。それがなかったら、梅も帰ってきてしまったかもしれない。さすがに会津の娘だ」

ふと仙は、この農場の敷地が、もとは会津藩の下屋敷だったことを思い出した。

「いろいろ縁があるものだな」

吉益父娘の来訪を追いかけるようにして、森有礼(ありのり)から仙に手紙が届いた。

アメリカに残った三人は、それぞれ別の家庭に預けることにしたという。梅は渡米当初に世話になったワシントンDC郊外のランマン夫妻のもとに、そして捨松と繁はコネチカット州の別々の家庭に、それぞれ移ったと書かれていた。

コネチカット州には、捨松の兄である山川健次郎が留学しており、その縁で受け入れ先を探したという。

　コネチカット州とワシントンDCは、同じ東部にあるものの、その間にはメリーランド州を始め、デラウェア、ニュージャージー、ニューヨークと、いくつもの州が存在する。

　仙は、梅が仲間たちと遠く離れてしまって、心細いのではないかと、つい哀れになる。

　だが初が言う。

「森さまが選んでくださったおうちですもの。間違いなく、いい方たちですよ。きっと梅のことを可愛がってくださっていますよ」

　留学を勧めた時には猛反対されたものの、ここまで進んでしまうと、女の方が腹をくくるものなのだなと、仙は改めて感じ入った。

　それから間もなく新政府が、ウィーン万国博覧会への随行員を募集し始めた。

　ウィーンでの万博開催は翌年の予定で、随行員の条件は外国語が堪能なことのほかに、何か特化した専門分野を持っていることと、その分野をヨーロッパで深める意志があることの二点で、年齢制限はなかった。

　そこで仙も応募してみたところ、折返し郵便が届いた。大隈重信（おおくましげのぶ）の屋敷に来るようにとのことだった。

　指定の日時に出かけてみると、そこは築地梁山泊（りょうざんぱく）と呼ばれる壮大な屋敷で、通された大広間は、すでに若者でいっぱいだった。あぐらをかいたり立膝したりと行儀が悪く、がやがやと雑談がうるさい。

仙は思わず、ひとり言をつぶやいた。

「これは場違いだったかな」

ウィーンに出向く時には、すでに自分は三十七歳になっている。当然ながら新政府としては、未来ある若者に渡欧の機会を与えたいに違いなかった。

しばらく待っていると、上座(かみざ)に役人らしき男が現れて、大声で告げた。

「静まれッ。ウィーン万博日本事務総裁の大隈重信さまが、お出ましになるッ」

ざわつきが潮が引くように消えていく。

大隈重信は屋敷の主人であり、西郷隆盛や木戸孝允(きどたかよし)などとともに、新政府の参議を務めている。

静まり返った大広間に当人が登場すると、いっせいに息を呑む気配がした。雲をつくような大男で、とてつもない威圧感を放っていたのだ。

大隈は上座に立つなり、野太い声で話し始めた。

「諸君、来年、日本はウィーン万博に出展する。万博は四、五年ごとに、欧米各都市の持ちまわりで開催されており、前回はパリ万博だった」

パリ万博は明治維新の前年であり、幕府と佐賀藩と薩摩藩が、それぞれ独自に出展した。しかし今回は日本政府として一本化して、ウィーンからの招きに応じるという。

「私は現地には行かぬが、副総裁の佐野常民(さのつねたみ)くんが出向いて、すべてを取り仕切る」

大隈はかたわらで控えていた佐野を、上座の中央に立たせた。大隈も佐野も、もともと九州の佐賀藩出身だ。

佐野は座敷の床の間を示した。そこには巨大な壺が置かれていた。表面に華麗な模様が描かれている。そして少し甲高(かんだか)い声で説明した。

「これは佐賀の有田焼(ありたやき)だ。万博参加の目的は、このような優れた物品を広く海外に知らしめ、輸出品を増やすこと。それと西洋の技術や文化の吸収だ」

出展する品物の準備は、もう進んでいるという。

「今回、募集する随行者は、展示館の設営から品物の飾りつけまで、現地での準備にたずさわる。力仕事もやってもらう。会期中は交代で会場に控え、それ以外の者は、それぞれの専門分野を調査する。必要であれば、遠出も認める。閉会後は片付けもするゆえ、おおよそ十ヶ月の渡航になるだろう」

佐野は両手を打った。

「では、これより別室で、十人ずつ自分の得意分野を話してもらう。持ち時間は、ひとり三分。十五秒前に合図を出すが、三分を過ぎた者は、その場で失格だ」

それでは短すぎると不満の声が上がる中、大隈と佐野は悠然と別室に移り、応募者が十人ずつ呼ばれて座敷から出ていった。

仙の名前はなかなか呼ばれず、ずいぶん待たされてから別室に入った。

さっそく三分ずつの自己紹介が、端から順番に始まった。それぞれの専門分野は硝子、時計、眼鏡、建築、さらにセメント製造まで幅広かった。

もともと佐賀藩は長崎に近いために、ペリー来航前から西洋技術の導入に熱心で、鉄製大砲の鋳造や造船などでは、幕府をしのぐものがあった。

その影響で、大隈も佐野も工業技術の習得を優先するだろうと、仙は予測した。いよいよ自分は場違いで、採用されることはなかろうと、なかば諦めた。

そのために順番がまわってくると、自分の来歴と農業研究を、おもねることなく、ありのままに伝えた。

「フランスとアメリカが農業先進国ですので、ウィーンだけでなく、その両方に行きたいと思います。それと後で問題になると困るので、あらかじめ、お伝えしておきますが」

仙は、いったん区切ってから続けた。

「私ごとで恐縮ですが、この機にアメリカにいる娘に会ってきたいと思っています。足を伸ばす分の費用は、もちろん自費のつもりですが」

大隈が質問した。

「外交官夫人でもしているのかね」

「いいえ、留学生です。開拓使の」

「ああ、あの女子留学生か。幼い子供までアメリカに送り出したという」

「その最年少の者が、私の娘です」

ほとんど自棄になって答えた。男尊女卑は薩摩だけでなく、九州全体に及ぶと聞いている。佐賀人も女子教育など不要と考えているに違いなかった。

大隈は隣に座っていた佐野に聞いた。

「この者のほかに、農業が専門という者はいるのかね」

佐野は名簿をめくって答えた。

「農業は、この津田仙、ひとりです」

すると大隈は、今度は直接、仙に聞いた。

「津田くん、君は日本の庭は造れるかね？」

「日本の庭と申しますと？」

「万博の展示館のほかに、日本の東屋を建てるのだが、そのまわりに、ちょっとした庭を造りたい。日本らしい植物を選んで、石灯籠なども飾って。で、そんなことはできるかね」

「そのくらいのことなら、なんとかなるとは思いますが」

「ならば、この場で決めよう。津田くん、君にウィーンへの随行を命じる」

仙は仰天した。造園ができないことはないものの、本来の専門ではないし、そもそもどこが気に入られたのか、まるで見当がつかない。

すると大隈は豪快に笑った。

「意外に思うかもしれんが、佐賀の者は女子教育に熱心だ。去年できた開拓使女学校にも、佐賀の娘たちが何人も入学している。開拓使は薩摩藩閥なのに、鹿児島県出身の女学生は、おそらくひとりもおらん。薩摩は遅れておる。そこが佐賀との違いだ」

薩摩藩閥への対抗意識が強く、女子留学生のことも薩摩人とは異なり、高く評価しているという。

仙は信じがたい思いながらも、念のために確認した。

「ではアメリカ行きも、娘に会う件も、認めていただけるのですか」

大隈は鷹揚(おうよう)に答えた。

「まあ、そのくらいはよかろう」

そこで仙の持ち時間が切れた。

面接が終わったとたんに、仙は飛ぶような勢いで三田に走って帰った。そして初に大声で知らせた。

「ウィーンへの随行員に選ばれたッ。アメリカにも行かれるぞッ。梅に会いに行かれるんだッ」

何より、また外交の大きな仕事に関われるのが嬉しく、心が浮き立つようだった。

四　梅の学業

ランマン家のあるジョージタウンは、ワシントンDCに隣接した美しい住宅街だ。

梅たちが五人で暮らしていた間に、チャールズ・ランマンは日本の弁務使館を辞めていた。どうやら五人で暮らすことに反対し、森有礼（ありのり）といさかいがあったらしい。

その後も妻のアデリンは、なんとしても梅を預かりたいと、何度も森に手紙で訴えて、ようやく願いがかなったのだった。

捨松と繁は、北のコネチカット州に移っていき、梅はランマン家のひとり娘か、たったひとりの孫であるかのように可愛がられた。

そしてスティブンソン・セミナリーという地元の初等学校に入学し、ランマン家から歩いて通った。

登下校の際に、見知らぬ子供たちから、肌の色をからかわれることもあった。また学校では、白人の少女たちの積極性に、気後（きおく）れすることも度々（たびたび）だった。

それでも梅は明るくふるまい、一生懸命に勉強した。耳から言葉を覚え、綴り方を頭にたたき込んだ。日本人として馬鹿にされまいという一心だった。

ランマン家は教養人の家らしく、立派な書庫があり、梅は自分で読めそうな本を探して、片端から読んだ。

しかしランマン夫妻は、そんなに勉強ばかりするものではないとたしなめた。週末ごとに教会に行き、休暇ごとに旅行に連れて行ってくれた。

おのずから梅は信仰を持つようになり、洗礼を受けたいと夫妻に伝えた。

キリスト教への改宗は、留学前に固く禁じられていた。しかし梅は、日本の両親が教会に通っていると伝え聞いていたし、以前から父が宣教師たちと交流があったのも知っていた。そんなことから娘の受洗（じゅせん）には、けっして反対しないと確信していた。

明治六年（一八七三）二月には日本で、キリスト教の禁止令が解かれたと知らされた。そこでランマンは森有礼と相談した結果、夏休みに梅に洗礼を受けさせた。

同じ頃、ウィーンでは万博が開かれていた。父がアメリカまで足を伸ばしてくれると手紙が来て、梅は何より心待ちにしていた。

万博が終わりに近づいた頃、仙からランマン家に電報が届いた。いよいよ来訪の予告かと、ランマン夫妻も梅も胸ときめかせて電文を開いた。

しかし内容は期待を裏切るものだった。母のキヨが危篤（きとく）のため、急いで日本に帰らねばならず、渡米できなくなったという。梅は心底から落胆した。

キヨは佐倉城下にいる仙の実母で、梅にとっては外祖母に当たる。だが、ひとたび海外に出たら、親の死に目に会えないのは覚悟の上だ。危篤と聞いて慌てて船に乗っても、まず間に合うことはない。

梅は父を思いやった。また何か横槍が入って、娘に会いに来られなくなったのではないか。とはいえ確かめようもなく、父との再会は諦めるしかなかった。

ウィーンの次の万博は、アメリカが建国百年を記念して誘致し、ワシントンＤＣからほど近いフィラデルフィアでの開催に決まった。


三年後、フィラデルフィア万博が始まると、さっそくランマン夫妻が連れて行ってくれた。梅は西洋式の数え方で十一歳になっており、十六歳の捨松と、十五歳の繁も合流した。

あれから捨松はコネチカット州で、ベーコンという牧師家庭の世話になった。ランマン家とは打って変わって、子沢山(こだくさん)の賑(にぎ)やかな暮らしで、捨松もベーコン夫妻に、わが子同様に育てられ、今は地元の公立学校に通っている。

繁を預かったアボット家も牧師家庭で、捨松とは双方、行き来しやすい場所だった。アボット家では私立学校を経営しており、繁は、そこで教育を受けていた。

フィラデルフィアの万博会場は、広大な敷地だった。目の前に、ヨーロッパ風の主要棟が、左右、はるか彼方まで伸びている。敷地内には、最新鋭のモノレールが走っていた。

三人はランマン夫妻とともに、目を丸くしながら敷地内を見てまわった。

ゲートを背にして左奥に、ひときわ立派なアメリカ合衆国館があり、ベルの発明した電話や、エジソンの新型電信機、タイプライターなどが展示の目玉になっていた。

日本館はアメリカ館と同じ一角に設けられていた。隣はミシシッピ州館、向かいはウエストバージニア州館、斜め向かいがスペイン館だったが、日本館の人気は群を抜いていた。

竹垣がめぐらされた庭に足を踏み入れて、梅は思わず歓声をあげた。そこには石灯籠が置かれ、枝折戸の奥に、瓦屋根の日本家屋が忠実に再現されていたのだ。懐かしさがこみ上げる。

建物の中は混雑していたが、日本でも見たこともないような緻密な工芸品が並んでいた。漆器から木工、銅器まで、素人目で見ても、とてつもなく手が込んでおり、きわめて美しい。美的感覚も抜きん出ていた。

中でも、もっとも注目を浴びた展示品は、人の背丈ほどの巨大な花瓶だった。ふたつで一対になっており、表面に華麗な細密画が施されている。

これだけの大きさを焼物で、完璧に同じ形に焼き上げるだけでも、たいへんな技術に違いなかった。さらに絵付けには、気が遠くなるほどの手間と時間が、かかっているはずだった。

どの展示品の前でも、アメリカ人の来場者たちが称賛を口にする。梅は聞いていて、とても誇らしかった。

伝統工芸だけでなく、新しい工業製品である絹糸も、素晴らしい光沢を放っていた。蒸気機関を利用した官営工場で、優れた女工たちが糸繰りをしていると説明文があった。

日本が近代化を突き進んでおり、欧米の技術に肩を並べつつあることが、目に見えて理解できた。

日本からの随行員らしき男たちが、あちこちに立ち、英語で展示の説明をしていた。ランマンが梅たちを留学生だと紹介すると、日本語で話しかけられた。

だが梅は日本語で返事ができなかった。簡単な話なら、かろうじて聞き取れるが、話すのが無理になっていた。

捨松と繁は、ふたりきりの時には、努めて日本語で話しているらしいが、梅はふたりとの会話も完全に英語だった。

女子留学生が来ていると、裏手に知らせがいったらしく、別の日本人が笑顔で声をかけてきた。

「ああ、君たちか。久しぶりだな」

いかにも日本人らしい顔立ちで、梅の記憶にはないが、一方的に親しげに話しかけてくる。

「君は、あの時のおちびさんか。大きくなったな。そっちのふたりは、すっかり娘らしくなったものだ」

捨松も繁も戸惑い顔を見合わせ、相手が誰なのかわからない様子だ。すると本人が名乗った。

「田中不二麿だ。岩倉使節団で一緒だっただろう」

名前を聞いても、まだ思い出せなかったが、捨松がかろうじて日本語で答えた。

「お久しぶりです」

不二麿は、岩倉使節団当時も教育関係の仕事についていたが、今は文部大輔だという。文部省の頂点に立つのが文部卿で、それを補佐する立場だった。

「君たちが帰国したあかつきには、ぜひ女子師範学校で英語を教えてもらいたい」

すでに明治七年（一八七四）に、女性教員養成のための東京女子師範学校を、田中自身が創設したという。

「開拓使女学校にも期待していたのだが、今年五月に閉鎖してしまったしな」

開拓使女学校は開校から、わずか四年で閉校したという。

梅には、よく意味が呑み込めなかった。そのために通訳に入ってもらったが、閉校の理由など詳しいことは、言葉を濁されてしまった。

不二麿は一転、自慢げに、新聞の切り抜きを差し出した。それはニューヨーク・ヘラルドの万博関係の記事で、日本館が絶賛されていた。

――ブロンズ製品や絹ではフランスに優り、木工、家具陶磁器で世界に冠たる日本を、なぜ文明途上と呼べるだろうか――

梅は、それを読むなり胸が熱くなった。捨松も繁も読みながら涙ぐんでいる。

この春、森有礼は弁務使の任期を終え、日本に帰国した。その時、くれぐれも日本の心を忘れないでほしいと、言い置いて去った。

梅自身、日本語も忘れてしまったし、日本の心が何なのか不安になることもある。だが、こんな新聞記事を読むと、自分たちは日本人だという自覚と誇りがよみがえる。

田中不二麿が梅に言った。

「そういえば君の父上は、ウィーン万博に行かれたのだね。日本からの万博出展は今回で三度目だが、前回のウィーンの成功は目覚ましかった。特に東屋(あずまや)と日本庭園は好評だった。あの成功があってこそ、今回がある。先人の活躍には頭が下がる」

仙はウィーンから帰国して以来、洋式農業で、いっそうの成功を収め、去年、私財を注(そそ)いで農学校を開校したという。

梅は父が褒められるのが嬉しい。それに父の成功自体も、わがことのように嬉しかった。そうして工業分野のみならず、農業でも近代化が進んでいくに違いなかった。

それと同じように母国が褒められるのも、嬉しくてたまらない。もういちど梅は記事に目を落として、声に出して読み始めた。

――ブロンズ製品や絹ではフランスに優り――

捨松が後を続ける。

――木工、家具陶磁器で世界に冠たる日本を――

最後を繋が締めくくった。

――なぜ文明途上と呼べるだろうか――

三人で笑顔を見合わせた。日本への称賛に感じ入り、自分たちも日本の誉れになろうと、改めて誓い合った。

明治十五年（一八八二）六月、十七歳になった梅は、ひとりでワシントンＤＣから列車で北上し、ニューヨークのグランド・セントラル駅に降り立った。

二十二歳になった捨松が、ニューヨーク州にあるヴァッサー女子大を卒業する。その卒業式に参列するのだ。翌週には梅の女学校の卒業式もあり、たがいの晴れ姿を見ようと約束している。

人混みのプラットホームを進むと、三階建の駅舎のホールに出た。

小柄な梅は、一生懸命に背伸びをして、知り合いの顔を探した。いつまで経っても背が伸びず、人混みでは埋もれてしまう。ぽっちゃりした体型も悩みの種だ。

しばらく探していると、行き交う人の流れの先から、広い額と丸い鼻に愛嬌があるいアメリカ人女性が、手を振って声を張り上げた。

――ウメ、ここよ、ここ――

待ち合わせていたアリス・ベーコンだ。

捨松は高校卒業後は大学の寮に入ったが、休暇のたびに、預かり先だったベーコン家に戻った。

ベーコン家の末子で、捨松と年齢が近く、もっとも仲がよかったのがアリスだ。梅とも親しく、今度の卒業式には一緒に出かけようと、前々から決めていた。

アリスの隣には日本人男性がいた。ニューヨーク総領事の高橋新吉(たかはししんきち)に違いなかった。高橋とは初対面だが、やはり待ち合わせており、すぐに梅と気づいて大股で近づいてきた。

目尻が上がり気味の大きな二重まぶたが印象的で、めりはりのある顔立ちだ。薩摩出身と聞いているが、目元に森有礼や黒田清隆と共通するものがあり、やはり薩摩ならではの顔立ちらしかった。

高橋は何か話しかけてきた。だが日本語は、もう聞き取ることさえできない。

——ごめんなさい。日本語を忘れてしまったので——

困り顔を向けると、すぐに高橋は英語に切り替えてくれた。

——そうか。日本を離れて十一年も経つのだし、覚えていなくても仕方ない。とにかく駅前の広場に出よう。領事館の馬車を待たせてある——

三人は人混みをすり抜けて、駅舎前の広場に向かった。高橋は歩きながら話した。

——去年は公務があって、永井さんの式には行かれなかったけれど、今年は山川さんが話をするっていうんで、なんとしても親代わりとして出ようと決めたんだ——

去年、永井繁もヴァッサー女子大を卒業した。入学は捨松と同時期だったが、音楽科は一年早く卒業を迎え、すでに日本に帰国している。その時にも、梅は卒業式に来たが、領事館からは誰も参列しなかった。

それが今年、総領事みずから卒業式に足を運ぶのには、特別な理由があった。

今年のヴァッサー女子大の卒業生は、三十九人と聞いている。その中で捨松は成績上位十人に入り、式典で研究発表が予定されていた。日本女性の優秀な成績には、総領事としても格別の思いがあるに違いなかった。

石造りの駅舎を出て、三人で総領事館の馬車に乗り込み、ハドソン川沿いを北に向かった。

マンハッタンから百キロほどさかのぼった小さな町に、ヴァッサー女子大はあった。全米屈指の名門女子大で、ハーバード大学と同等の学力がないと、入学はもちろん、卒業まで至れないといわれている。

初夏の青空の下、馬車は女子大の美しい構内を進み、ヨーロッパ風の本館前で停まった。降り立つと、目の前に青々とした芝生広場が広がっていた。

前後にも馬車が次々と停まり、卒業生の両親や兄弟や、大きな花束をたずさえた婚約者らしき若者など、参列者たちが降りてくる。

三人が広場で待っていると、寮の方から華やかに着飾った卒業生が、ひとりふたりと現れ始れる。

めた。そのたびに歓声が上がって、誰かが駆け寄って抱き合い、祝いの言葉と抱擁が繰り返さ

ひときわ大きな歓声が上がった。梅は振り向いて、思わず息を呑んだ。振袖姿の捨松が歩いてくるところだったのだ。

アリスが声を弾ませた。

――あの着物を着たのね――

梅が高橋に説明した。

――日本の皇后陛下に、お目にかかった時に初めて身に着けて、横浜からシカゴまで着てきた振袖なんです――

――それはすごいな――

高橋が目を細める。

――若い娘さんの着物姿を、久しぶりに見たが、いいものだね。よく似合っているし。日本が誇るべき民族衣装だ――

捨松は梅と違って上背があり、アメリカ人の間でも見劣りがしない。それどころか、その場の誰よりも際立って見えた。

留学当初には、ひょろひょろと背が高く、やせぎすな印象があったが、いつのまにか別人のように美しくなっている。

ベーコン家にいた頃に、アリスには振袖を見せたらしいが、卒業生仲間たちには初めてだったようで、わらわらと集まって大騒ぎになった。

あまりの人気ぶりに、梅たちは近づき損ねた。アリスが苦笑いで梅に聞く。

――梅も卒業式に着物を着るの？　同じようなものを持っているんでしょう？――

梅は首を横に振った。

――持ってはいるけれど、私のは子供向きだったから、もう小さくて着られないの。だいいち着方がわからなくなってしまったし。捨松は、ちゃんと覚えていて偉いわ――

それに梅には、そこまで目立つ行動には出られない。

捨松は大家族のベーコン家で揉まれて成長した。はっきりと自己主張しなければ、家の中でも埋もれてしまいかねない立場だった。

だが梅はランマン家のひとり娘同然で育てられた。そのせいか、どうしても外では引っ込み思案になってしまう。

芝生広場の中ほどにいた捨松が、梅たちに気づいたが、双方から駆け寄る前に、式典の始まりを知らせる鐘が鳴り響いた。

たちまち歓声が静まっていき、卒業生たちが講堂に入場し始めた。その後に教職員が続き、最後に親族などとともに、梅たちも華麗なアーチの入口をくぐった。

荘厳な空気の中、学長の祈りで式典が始まった。卒業生がひとりずつ呼ばれて壇上に出る。

名前の前に「バチェラー」がつく。今日から名乗ることができる学士の称号だ。

ひとりひとり学長から学位証書を受け取り、とうとう捨松の番になった。

――バチェラー・ステマツ・ヤマカワ――

その名を聞き、その姿を見ただけで、梅の喉元に熱いものが込み上げる。この晴れがましい日を迎えるために、自分たちは、どれほど頑張ったことか。

悌と亮が帰国した時に、一緒に帰ってしまわなくてよかったと、心から思う。あの時の決意は、まさしく捨松のおかげだった。

まして帰国期限の十年は去年だった。でも、あと一年で捨松も梅も卒業できるからと、一年間だけ延長してもらったのだ。

そして、とうとう卒業式を迎えた。これで、ふたりとも胸を張って日本に帰れる。父も母も喜んでくれるに違いなかった。

学位証書の授与の後で、十人の研究発表に移った。それぞれ「科学の良心」「アレキサンダー二世の不実」「投機論の衰亡」など、格調高いテーマが続く。

そして捨松の番がまわってきた。テーマは「イギリスの日本に対する外交政策」だった。

捨松は前を向き、よく通る声で話した。ほとんど原稿に目を落とすことなく、ほぼ暗記している様子だった。

間の取り方も絶妙で、何度も何度も練習したのだろうと、梅には推し量られた。梅も人前で話したり、何か朗読したりする時には、周到に準備をする。

内容も素晴らしかった。明治以降、いかにイギリスが日本に過酷な外交条件を押しつけているかを、実例を示して語ったのだ。

捨松の発表が終わると、講堂には割れんばかりの拍手が湧いた。誰もが立ち上がり、なかなか鳴り止まない。ほかの卒業生にはないことだった。

梅も力いっぱい手をたたいた。捨松と同じ日本人であることと、十一年間、最後まで留学仲間だったことが、心から誇らしかった。

式典が終わって、また芝生広場に戻ると、捨松は振袖の裾を気にしながらも、真っ先に駆け寄ってきた。

――アリス、梅、来てくれてありがとう――

アリスが両手を広げて抱き合った。

――捨松、卒業おめでとう。素晴らしい発表だったわ――

――ありがとう。とっても緊張したけれど、なんとか練習通りにできたわ――

梅も抱擁を交わしてから、思った通りを口にした。

――同じ日本人として、本当に誇らしかった――

――ありがとう。梅も卒業、おめでとう――

それから捨松は高橋に向かって、日本語で何か言った。両手を前に揃えて、丁寧に頭を下げる。参列の礼を述べているらしい。

捨松はベーコン家で暮らすようになって、最初の二年間は近くに兄がいたし、去年までは繁もいて、定期的に日本語で話すように努め、言葉を忘れないようにしてきた。

一方、梅は、ひとりだけ離れていたせいもあって、日本語を使う機会が皆無だった。帰国してからのことを思うと不安がある。

捨松が高橋と話している間にも、卒業生仲間たちが話しかけてくる。アリスが気を利かせて言った。

――今日で友達とは離れ離れなんだから、別れを惜しんでちょうだい。私たちのことは気にしないで――

渡米したのが十一年前の十一月だったから、帰国も十一月になる。だから、まだ四ヶ月間はアメリカに滞在できるのだ。その間、捨松はベーコン家で暮らし、近くの看護学校に通う予定だった。

捨松は、すまなさそうに片手を上げた。

――アリス、ありがとう。梅も後でね――

そう言っている端から、たちまち仲間たちに取り囲まれる。普段からの人気ぶりが推し量られた。若い男性も交じっており、しきりに捨松の帰国を惜しむ。

芝生広場の端にあるベンチに、高橋と三人並んで腰かけた。アリスが遠目から捨松たちを眺めて言う。

――大学生活って、やっぱりうらやましいわ。一生の友達ができるし――

アリスは大学には進学できなかった。ベーコン家は子沢山で貧しく、捨松を預かったのも、経済的な理由からだったという。

その代わり、アリスは個人で猛烈に勉強して、ハーバード大学で学位を取った。それでも捨松の恵まれた環境には、憧憬の思いがあるという。

梅は返事に窮して、話題を変えた。

――捨松の発表、素晴らしかったけれど、どうやって調べたのかしら。お兄さんから話を聞いたとしても、帰国して、もう何年も経つんでしょう?――

すると高橋が、めりはりのある薩摩顔をほころばせた。

――彼女は時々ひとりで領事館に来ては、日本の新聞を読んでいたよ。領事館では、かなり古い新聞でも、捨てずに残してあるからね。特に外交関係の記事には、彼女は熱心に目を通して、ノートに書き写したりもしていた。その辺りを参考にしたんだろう。イギリス側の資料は、大学の図書館にあるだろうし――

梅は圧倒された。そこまでしたからこその優秀な成績だったのだ。

自分自身、そうとう勉強したと胸を張れる。それでも捨松と比べると、とうてい及ばないと思い知らされる。

明るい芝生広場の中央では、捨松を中心にして、まだまだ別れを惜しみ続けている。

去年の永井繁の卒業式には、海軍士官学校に留学していた日本人の若者二人が、祝福に駆けつけてくれた。

式典の後、捨松も交えた五人で、ハドソン川の川下り船に乗った。日本人ばかりで楽しい一日を過ごしたのだ。その時は日本語と英語が飛び交い、梅がわからないと、だれかが英語で教えてくれた。

でも捨松は日本人の枠を飛び越えて、多くのアメリカ人の友人を得た。それが梅にはうらやましかった。


翌週、梅は自身の卒業式を迎えた。ランマン夫妻はもちろん、捨松も駆けつけて参列してくれた。

卒業証書は、この十一年間の頑張りの証(あかし)であり、とても誇らしい。荘厳な式典の後には、プロムと呼ばれるパーティがあり、ほかの高校から男子学生が大挙して押しかけた。梅も彼らから何度もダンスを申し込まれ、楽しいひと時を過ごした。

それでも捨松の卒業の重みには、とうてい及ばない気がした。自分には取り囲まれるほどの友人もいないし、そんなふうにうらやむこと自体が情けない。

卒業後の四ヶ月間、梅はワシントンＤＣにあるスミソニアン博物館に通った。本当は捨松と同じように、看護学校に通ってみたかったが、意外なことにランマン夫妻が反対したのだ。

――看護は立派な仕事です。でも捨松と同じ道を選ぶのはやめなさい。あなたにしかできない分野があるはずです。それを見つけなさい――

そもそも捨松が短期間でも、看護学校に通うと決めたのは、会津の籠城戦（ろうじょうせん）の時に、怪我人の世話をした経験があったからだった。その時に、女性だからこそ役に立つ分野だと気づいたという。

今後、日本の女性が自立して働くとしたら、まず求められるのは看護に違いなかった。すでに日本にも女性の看護師がいるが、他人のからだに触れるのは、いやしい仕事とみなされているという。一方、アメリカではナースは困っている人を助ける尊い仕事であり、少女たちの憧れの職業だ。

捨松は胸を張って、梅に言った。

――私は日本人の看護に対する意識を変えたいの。本格的に学ぶ時間はないから、実際に私が医療に携われるかどうかは、わからないけれど、とにかく学校の制度や授業内容を、おおまかにでも把握（はあく）しておくつもり。いつか日本に看護学校を創れたら嬉しいわ――

誇りを持って働けるナースを育てたいという。

一方、梅はスミソニアン博物館に足繁（しげ）く通ううちに、自然科学に興味を引かれた。幼い頃、父と一緒に蛙の卵を鉢に放って、おたまじゃくしから蛙になるまでを見守った。その時の楽しさを思い出したのだ。

夜はランマン夫妻が毎晩のように客を招いた。チャールズ・ランマンの文筆仲間である作家や、司書当時から親しい大学教授などが、妻を伴ってやって来た。そして専門の話を、梅にわかりやすく聞かせてくれた。

客が帰った後で、チャールズが言った。

――こうして人と会うのも勉強だ――

得難い機会を、惜しげもなく梅に提供してくれていた。

しかし自分にしかできない分野が何なのか、梅には見当がつかないまま、とうとう別れの日を迎えた。

列車で西海岸へと向かう梅と捨松を、ランマン夫妻はシカゴまで送ってくれた。そこから先は、ジェローム・デービスという宣教師と、その夫人に引き渡されることになった。

デービスは京都の同志社(どうししゃ)英学校の創設に寄与(きよ)した人物で、アメリカに一時帰国しており、また京都に戻るところだった。夫人は小柄ながら、華やかな雰囲気の女性だった。

梅としては七歳から十七歳まで育ててくれたランマン夫妻には、感謝してもしきれない恩がある。もはや本当の両親よりも長く一緒にいて、今は深い絆(きずな)を感じる。

それだけに別れはつらかった。梅は涙ながらに言った。

――またアメリカに来られるような人に、きっとなります。だから再会を楽しみにしていてください——

そしてシカゴからの列車に乗り込み、プラットホームで手を振る夫妻と、窓越しに別れの言葉を交わした。

列車が動き出すと、夫妻は少し後ずさって、ハンカチで何度も目元をぬぐった。その姿が遠のいていく。

これから梅のいなくなった家で、老夫婦ふたりだけで暮らすのかと思うと、それも忍びない。

列車が速度を上げて、ふたりの姿がすっかり見えなくなると、梅は座席に倒れ込むように座って嗚咽(おえつ)した。その肩に、捨松は優しく腕をまわした。

——これから私たちの生まれた国に帰るのよ。きっと素晴らしいことが待っているから——

梅はデービス夫妻の目もはばからず、友の胸に顔を埋めて泣きじゃくった。

かつて横浜港で、父と別れた時にも劣らない別離の哀しみだった。

シカゴからサンフランシスコに向かう途中、日曜日にはデービス夫妻と四人で、小さな町の教会に出かけた。

だが礼拝が終わると、突然、牧師が信者たちの前で意外なことを告げた。

——今日は若い日本の女性が、ふたり来ています。十年以上、東部で勉強して、これから日本に帰るところだそうです。ぜひ彼女たちの話を聞きたいので、この後、いったん休憩をはさんでから、時間を取りましょう――

寝耳に水の話に、梅は驚いて捨松と顔を見合わせた。急に、そんなことを求められても、まったく準備なしでは無理だった。

だが周囲は梅たちに笑顔を向けて拍手する。それが静まるなり休憩に入り、人々が立ち上がって、教会堂の外に出ていく。

捨松は周囲の耳をはばかって、デービス夫妻に小声で訴えた。

――私たちは人前で、急に話などできません――

するとデービス夫人が笑顔で答えた。

――あなたなら大丈夫よ。卒業式の発表、素晴らしかったと聞いているわ――

卒業式の翌日、ヴァッサー女子大の地元新聞が、捨松の発表を十人の中で最高だったと絶賛した。その記事がニューヨーク・タイムズにも転載され、さらに日本の新聞にも載ったという。それでデービス夫妻の耳にも入っていたのだ。

捨松は首を横に振った。

――あれは充分に稽古を重ねたからこそ、できたのです。準備なしでは無理です――

――そんなに難しく考えなくてもいいのよ。日本から来て困ったことや、これから日本に帰ってやりたいことを、思いつくまま話してくだされば――

――でも――

戸惑う捨松に向かって、夫人は端整な眉をしかめた。

――もう牧師さまが予告なさったのだから、話さないわけにはいかないわ。私も困ってしまうし――

どうやら夫人が安請け合いしたらしい。そして一瞬、梅に目を向けた。

――どうか梅のためにも、ここは捨松が話をしてくださいな――

梅は話さないでいいらしい。その点は胸をなでおろしたが、捨松に責任を負わせるのは当惑するばかりだ。

すると捨松は少し考え込んだ末に、困り顔ながらも承諾した。

――わかりました。簡単な話しかできませんけれど、それでよければ――

――もちろんよ。ありがとう――

たちまち休憩時間は終わり、いったん教会堂の外に出ていた人々が、席に戻ってくる。場が落ち着いたところで、牧師が捨松と梅を紹介した。ふたりで立ち上がって、周囲に笑顔を向ける。それから捨松は説教台に向かった。

梅は着席して、はらはらしながら見守った。だが話が始まるなり、たちまち不安が収まった。捨松は、まるで前々から準備していたかのように、落ち着いて話したのだ。声の張り方も間の取り方も、卒業式のときと同じだった。時には微笑みも見せる。

十一年間の苦労と、その末の達成感、そして今後の使命を的確に語る。けっして大げさに説明するわけではないのに、聞く人の心を揺さぶった。ハンカチーフを取り出して、目元に当てる女性たちもいる。

話が終わった時には、盛大な拍手がわいた。卒業式と同じように、人々は立ち上がって、さらに大きな拍手を送る。

梅も力いっぱい拍手しながら、捨松はすごいと改めて感じ入った。とうてい自分にはできない。普段、話していると、同年代のような気になってしまうが、四つ年上なだけで、はるかに大人だった。

それも、ただの大人ではない。ヴァッサー女子大の卒業生で最高という評価は、全米の教養ある女性たちの中でも、指折りの才媛（さいえん）であることを意味する。

そんな優れた友を持ったことが、本当に誇らしく、卒業式の感動にもまさる思いがした。

サンフランシスコから横浜への船旅は、海が荒れた。十一月の航海は、たいがい青空を見ることがないという。来る日も来る日も黒雲の下、アラビック号は帆を斜めに張って進みゆく。雨も多く、時には横殴りの雪に見舞われた。

梅は捨松とふたりで船室に閉じこもって、船酔いに耐えた。少し気分が持ち直すと、ふたりで寝台の上に腰かけて話をした。

――十一年前の航海も、そういえば海が荒れて、船酔いがつらかったわね――

捨松と話していて、梅はふいに思い出した。

――日本からの使節団の中に、ひとり親切なおじさんがいて、私たちにピクルスみたいなものをくれたわよね――

――伊藤さんね――

――そんな名前だった？――

――伊藤博文公。今じゃ新政府の重鎮よ。今年の春からは、ドイツに憲法の研究に出かけたみたいよ。日本でも憲法を作るらしいわ――

――日本の新聞に書いてあったの？　ニューヨークの総領事館で、たくさん読んだんでしょう？――

――どうだったかしら？　その話は兄からの手紙で知ったのかもしれない――

――捨松の博学には、いつも頭が下がるわ――

すると捨松は肩をすくめた。

――梅は、そうやって私のことを褒めてくれるけれど、私は最初に梅に会った時から、この子はすごいって驚いたのよ――

――小さいのに留学生に名乗り出たから？　それなら父に言われるまま、わけのわからないうちに決められただけよ――

——そうじゃなくて。横浜の裁判所で乗船を待っていた時に、新聞記者がなれなれしく聞いたでしょ？　お母さんやお父さんと会えなくなって嫌じゃないかって——

——そんなこと聞かれたかしら。覚えていないわ——

——私は、よく覚えてる。そうしたら梅は、こう答えたのよ。私の父は英語が上手で、私もアメリカで一生懸命に学んで、大きくなったら父のようになりたいって——

遠い記憶が、うっすらとよみがえる。

——言ったような気もするけれど——

——その時、私は、とても感心したの。この子は小さいのに、はっきり自分の意見を言うんだなって。日本の女の子にしては珍しかったし——

——日本の女の子は、はっきり意見を言わないの？——

——私は函館のフランス人の家にいた時に、はっきり意思表示しなさいって、よく叱られたのよ。日本の女の子の悪い癖だって。だから梅の言葉を聞いた時に、よほど進歩的な家で育ったんだなって感心しちゃった——

——よく覚えていないけれど、捨松に感心してもらうほどのことじゃないわ——

——梅って、そうやって謙遜（けんそん）するところに、日本人らしさが残っているわよね。私なんか謙遜しないから、日本に行ったら苦労するって、兄が留学中から心配してたわ——

捨松は一転、目を輝かせて言った。

——日本に帰ったらね、私、看護学校だけでなく、女子向けの英語学校も創ろうと思うの。日本女性の意識を変えて、家庭に入るだけじゃなくて、社会に貢献できるようにしたいの——

それは梅も漠然と考えていたことだった。自分たちがアメリカで得た知識を、日本の女性たちに伝えたかった。

それに近年、父が農学校を創設した。その後、年ごとに生徒も増えて活気づいていると、父からの手紙に書いてあった。今の日本に必要なのは教育に違いなかった。

——捨松が学校を創るなら、私にも教えさせて——

——もちろんよ。その時はアリスも手伝ってくれるって、約束してくれたのよ——

——アリスも日本に来るの?——

梅は思わず声を弾ませた。

——彼女が来日して、捨松の学校で教えたら、入学希望者が殺到するわよ。なにせ全米一のハーバード大の学位を持つ女性なんだから——

捨松も楽しそうに言う。

——アリス・ベーコン教授に津田梅教授。いい感じじゃない?——

——山川捨松学長もね——

——音楽科を設けて、繁にも教えてもらうわ。永井繁教授よ——

一年前に帰国した繁は、すでに文部省にピアノ教師として出仕している。女子師範学校には、研修のための付属小学校や幼稚園がある。そこで繁は新しい童謡の伴奏をしたり、女子師範の女学生たちにピアノを教えていると聞く。

——まずは私たちも女子師範学校で、英語を教えればいいわよね——

——そうね。そこで経験を積んで、お金を貯めて、私たちの学校を創りましょう——

ふたりは、いつまでも夢を語り合い、女子教育に一生を捧げようと誓った。

フィラデルフィアの万博見物に行った時には、梅たちは日本のためになりたいと、漠然と考えていた。だが今は女子教育という目標が、はっきり見えてきたのだった。

二十日あまりの航海の末に、アラビック号は横浜港に錨を下ろした。海からの冷たい風が吹きつけるものの、空は青く澄んで明るい。

大勢の下船者たちが甲板に集まり、艀船の順番を待っていた。梅と捨松も、デービス夫妻とともに列に並んだ。

日本人もいて、航海中、何度か話しかけられたが、梅はもちろん、捨松も日本語が聞き取れなかった。

梅は不思議に思って聞いた。

——卒業式の時、高橋総領事とは日本語で話してたじゃないの？——

——あの時は、お礼を言うだけだから、あらかじめ考えておいたのよ。普段の会話は、まず駄目だわ。だから日本に帰るのは、嬉しい半面、不安もいっぱいよ――

梅は不安なのは自分だけではないとわかって、むしろ心強かった。

下船が進み、ようやく梅たちの順番がまわってきた。甲板から海面まで、鉄製の梯子段（はしごだん）が掛けられており、スカートの裾を気にしながら、手すりを伝って下り、艀船に乗り移った。

艀船がいっぱいになると、船頭が櫓（ろ）をこいでアラビック号から離れた。

梅は船頭の姿が珍しくてならない。着物の裾を尻端折り（しりはしょ）して、両脚をむき出しにしている。渡米してくる日本人は、たいがい洋服姿だし、普段着の着物姿を十一年ぶりに見たのだ。寒くないのかと心配になる。

その時、遠くから、思いがけない声が聞こえた。

――ミス山川、ミス津田――

捨松が梅の腕をつかんだ。

――高橋総領事よ。一時帰国なさったたって聞いてたけど、迎えに来てくれたのね――

見れば一隻の艀船に、何人もの日本の男女が乗っており、こっちに向かってくる。呼びかけてきたのは、めりはりのある薩摩顔の高橋新吉だった。

だが別の人物に、梅の目が吸い寄せられた。見覚えのある中年の男だ。かなり体格がいい。隣に座っている高橋が、その男に向かって、しきりに何か説明している。

すると男が大きな手で船べりをつかんで、大声で呼びかけた。

「梅ッ。梅だなッ」

次の瞬間、梅は夢中で叫んだ。

「父上ッ」

すっかり忘れていた日本語だ。それが自分の口から飛び出したことに驚いた。でも父を呼ぶ言葉だからこそ、頭のどこかで覚えていたに違いなかった。

そして、その本人が、わずかな海面を隔てた先にいる。ようやく会えたのだ。自分の本当の父親に。

その隣にいる若い女性が泣いている。姉の琴だと、梅は気づいた。二歳上だから、別れた時には、まだ少女だった。それが立派な女性になっている。向こうも梅のことを、見違えているに違いなかった。

捨松の姉ふたりも乗っており、双方から呼び合う。艀船が近づくにつれ、十一年の歳月も、おのずから縮まっていった。

五　仙の期待

ニューヨーク総領事だった高橋新吉は、横浜の洋館に住んでおり、一行が休憩できるように
と、昼食に招待してくれた。

応接間に落ち着くのを待って、津田仙は自分のかたわらの人々を、梅に英語で紹介した。

――姉の琴だ。覚えているか――

――艀船（はしけぶね）の上で気づきました――

――琴は英語が上手だぞ。おまえと話をするために、一生懸命、勉強したのだ――

すると琴が口を開いた。

――梅、おかえりなさい。無事に帰ってきてくれて、とても嬉しいわ――

――ありがとう。本当に英語が上手なのね――

――女性宣教師の学校に入って、ずいぶん勉強したのよ――

仙がウィーン万博から戻った翌年、ドーラ・スクーンメーカーというアメリカ人が、初めて

の女性宣教師として来日した。

仙は、ドーラが少女向けの小学校を開きたがっていると耳にした。ちょうど缶詰が売れて、経済的に余裕があった時期だったこともあり、農場の隣の屋敷を借りて、校舎として提供した。

さらに入学者の呼び水になればと、琴を最初の生徒として、隣地の学校に通わせたのだ。琴は、ドーラの身のまわりの世話も買って出て、毎日、英語を使い、たちまち上達した。

仙が梅に言った。

——おまえの母も、おまえと話したいからと言って、琴と一緒に生徒になったのだぞ。四十過ぎの小学生だ。ただ、琴ほどは上手くなっていない。語学は年齢が若いほど有利だしな。おまえも若いし、すぐに日本語は思い出すだろう——

娘が日本語を忘れていることを、仙は手紙で把握していた。だが再会した瞬間に「父上」と呼びかけられ、とても嬉しかった。わずかな単語でも、まだ覚えていたことで、胸をなでおろした。

仙は琴の夫も、梅に引き合わせた。

——去年、結婚した上野栄三郎くんだ。京都の同志社英学校の出身で、今は私の農学校で教えている。うちの敷地の中に家を建てて、琴と一緒に暮らしているんだ——

上野は同志社当時からデービス夫妻とは懇意であり、すでに親しげに語らっている。

仙は笑顔で言った。

――梅、家族の中に、英語を話せる者が何人もいて、おまえも心強いだろう――

――ええ、こんなにみんなが英語が上手だとは、思っていませんでした。とてもありがたいわ――

捨松はと見ると、片言の日本語で、山川家の姉たちと話している。

長姉は東京女子師範学校で、寄宿舎の舎監（しゃかん）を務めているという。文武に秀でており、寄宿生に行儀作法や学問を教えながら、武芸の腕を生かして宿舎の防犯も担（にな）っていた。

下の姉はロシアに二年間、滞在した経験を持っていた。外交官夫人の世話役として渡航し、その間にロシア語のみならず、フランス語も身につけたという。

捨松の兄たちもさることながら、山川家の姉妹も、そうそうたる経歴の持ち主だった。

昼食は高橋夫人が用意してくれた。彼女はもてなし上手で、一同は大きな食卓についた。デービス夫妻と梅と捨松の席には、箸のほかにフォークやスプーンが添えてあった。夫妻はフォークを手にしたが、梅と捨松は当然のように箸を取り上げた。

高橋夫人が気を利かせて声をかけた。

――無理はなさらなくていいのですよ。楽な方を、お使いなさいな――

仙も梅のフォークを指さした。

――こぼしたりすると、余計な手間になるから、フォークで食べなさい――

だが梅も捨松も、不思議そうに顔を見合わせ、そのまま食事を始めた。

その場の誰もが驚いた。見事な箸さばきだったのだ。仙は不思議でたまらずに聞いた。

――アメリカで箸を使う稽古でもしていたのか？――

すると、ふたりとも首を横に振る。仙は感心した。

――言葉は忘れても、箸の使い方は忘れなかったのだな――

捨松が答えた。

――そういえば、そうですね。不思議ですけれど――

デービス夫人が冗談めかして言う。

――私たちは同志社ができた頃から、もう何年も日本に住んでいるのに、お箸は上手にならないのよ。やっぱり日本人は違うわね――

梅には幼い頃から、初が正しい箸の使い方を仕込んだ。おそらく捨松の家でも同じに違いなかった。その記憶が手に残っていたのだ。

仙は拳を振り上げて、少し大袈裟(おおげさ)な身振りで言った。

――この調子なら、すぐに日本語も思い出すぞッ――

梅も捨松も、さっきまで少しかたい表情だったが、ようやく心からの笑顔が出た。言葉のわからない母国に帰ってきて、よほど不安だったに違いなかった。

でも箸ひとつで自信が取り戻せる。大丈夫だと、仙は自分自身にも言い聞かせた。

麻布の家に着くなり、梅は初と再会を喜び合った。梅の留学中にも、何人も弟妹が生まれており、初は彼らの世話があって、横浜まで迎えに出られなかったのだ。

たどたどしい英語ながらも、なんとか母娘で意思疎通ができている様子だった。

仙は娘を縁側に導いた。すると梅は目の前の景色に感嘆の声を上げた。

――なんて美しいこと――

縁側からは広大な田園が見渡せる。晩秋の夕暮れ時、おおむね冬枯れて薄茶色に染まっているが、今なお青々と葉を茂らせる畑も残る。

仙は胸を張った。

――ウィーンの万博から帰って、三田から、こちらに引っ越したのだ。アメリカの農場のようだろう――

――本当に、アメリカの豊かな農家と、よく似ています――

――こんな農業を日本中に広めたい。米ばかり食べる日本人の食生活を、改めたいのだ――

仙はウィーンで農学の専門家に会い、農作物の受粉法などを学ぶかたわら、いくつもの農場を見学した。

その結果、やはりミルクやバターなどの酪農製品が、日本人の体格向上や健康に役立つと確信した。そこで広い放牧地を求めて、住まいと農場を麻布に移したのだった。

——まだ乳牛の数はわずかだが、この辺りは外国公使館が多いので、搾りたての牛乳を届けている。日本人の味覚に馴染むバターやチーズの作り方も、今、研究中だ。いずれは、もっと規模を広げたいと思っている——

麻布の農場は、古川というせせらぎを隔てて、ちょうど以前の農場の対岸に当たる。

——渋谷川が西から東に向かって流れてきて、古川と名前を変え、この辺りで北へと向きを変える。だから、ここは二方に川が流れて、牛たちの飲み水が得やすいのだ——

やはり、かつては大名屋敷だった敷地で、使える建物は残し、武家長屋などは壊して畑や牧草地に変えたのだった。

移転と同じ頃、森有礼がアメリカから帰国し、外務省に通うかたわら、福沢諭吉などとともに学術団体を結成した。特に西洋文化や新技術に関する知識人が集まり、情報交換する場だった。明治六年（一八七三）の結成だったことから、団体名を明六社とした。

翌明治七年になると、森は明六雑誌という論文集の定期刊行を始めた。仲間内の情報交換だけでなく、広く情報発信したのだ。仙も森有礼の趣旨に賛同して、明六社に加わった。

ところが翌明治八年には、明六雑誌が廃刊に追い込まれてしまった。新政府の言論統制が敷かれ、それに抵触するとされたのだ。その影響もあって、会員の間で軋轢が生じ、明六社は活動わずか二年にして解散に至ってしまった。

仙は残念に思いつつも、明六雑誌に啓発されて、農業関係の出版を手がけ始めた。特にウィーンで仕入れてきた受粉法などを、わかりやすく解説して、単行本を出版し、続いて農業雑誌という雑誌も刊行したのだ。

単行本も雑誌も大人気を博した。誌上で種や苗などの通信販売も行い、申込みが殺到した。日本中の農業技術を向上させるには、とても効率のいい方法だった。

また講演会を頼まれれば、どんなに遠くても気軽に引き受けた。地方の農家の人々に、新しい農業を伝えたかったのだ。

仙は農園経営と出版、通信販売、講演会主催などの事業体を学農社と名づけ、その利益で、念願だった農学校を開校した。校名は学農社農学校とした。

仙は縁側に立ったままで、娘に言った。

——雑誌も農学校も順調だ。去年の生徒数は、今までで最大の百七十五人に上ったーー

梅は農場を見渡して聞いた。

——母上や琴が通っていた女性宣教師の学校は、どこですか——

仙は農場の外れに見える建物を指差した。

——あれだ。でも今は生徒が増えたので、築地の外国人居留地に移転して、校名も海岸女学校に変わった。これから、ますます伸びていくだろう。うちの農学校と同じように——

梅が笑顔で言う。

——父上が、こんなに美しい農場や、農学校を創って、私は誇らしく思います——

梅はアメリカに留学したからこそ、仙の目指す豊かな農業の理想を、きちんと理解できる。それが父親として嬉しかった。

帰国してほどない土曜日、仙は、梅と捨松のふたりを連れて、黒田清隆の屋敷に帰国の挨拶に出向いた。あらかじめ連絡すると、土曜日の午後にと指定されたのだ。

黒田の屋敷は、かつての青山官園の近くで、行ってみると、昔ながらの旗本屋敷を、そのまま住まいにしていた。おおむね新政府高官たちは、大きな洋館や御殿のような豪邸を建てたがる。そんな中では珍しく、簡素な住まいだった。

黒田自身は、相変わらず黒々とした眉と髭を持ち、精力的に見える。しかし自邸ということもあって、着流し姿で、口から出る言葉は、意外なほど弱気だった。

「わざわざ来てもらったが、開拓使も女学校もなくなったし、残念ながら、何もしてやれることはなか」

それでも捨松が、しっかりと日本語で挨拶した。

「長く留学させていただきまして、誠に、ありがとうございました」

最初の挨拶だけは、日本語で稽古していくからと、あらかじめ捨松から知らせてきた。

梅も日本語でと望んだが、いくら練習しても発音や抑揚(よくよう)が変だった。アメリカ人が話しているようになってしまうのだ。

――梅、無理はするな。もっと上手になってからでいい――

そういさめると、いかにも情けなさそうな顔でうなずいた。

そのため黒田には、仙が通訳代わりになって、娘たちが無事に学校を卒業したことを伝え、改めて礼を言った。

あれこれと報告をしてから、三人で帰りかけたところ、黒田が引き止めた。

「今日は、帰国祝いの準備をしている。薩摩の連中も来るし、顔をつないでおいて損はなか。まあ、ゆっくりしていけ」

そうこうしているうちに、薩摩弁の男たちが次々と現れ、黒田が、ひとりずつ紹介した。

最初に現れた洋装の男が大蔵卿の松方正義（まつかたまさよし）で、小太りの軍服姿が陸軍卿の大山巌（おおやまいわお）だった。同じく軍服姿で、眉の濃い薩摩顔が、西郷隆盛の弟で農商務卿の西郷従道（さいごうつぐみち）だという。そして役者のような顔立ちの紋付袴姿が、政商と呼ばれる五代友厚（ごだいともあつ）だった。

四年前に大久保利通（おおくぼとしみち）が暗殺されて以来、黒田が薩摩藩閥を率いている。その事実が、はっきりとわかる顔ぶれだった。

黒田が上機嫌で言う。

「そもそも女子留学生の派遣は、おいの英断じゃった。その成果を、よく見てもらいたか」

黒田が土曜の午後と指定した理由を、仙は察した。彼らの公務がはけてからという意図があったのだ。

全員が揃ったところで広間に移ると、人数分の銘々膳（めいめいぜん）が並んでおり、黒田が捨松と梅に上座（かみざ）を勧めた。

「今日の主役じゃって」

仙は慌てて遠慮したが、ふたりとも上座下座（しもざ）の意味を、あまり理解していない。勧められるままに座ってしまった。しかたなく仙は梅の隣に着いたが、居心地が悪くて仕方ない。

黒田家の女の奉公人たちが、甲斐甲斐（かいがい）しく給仕をする一方で、芸者衆が賑やかに現れて、男たちに酌をし始めた。

仙は困ったことになったと感じた。梅はもちろん、捨松も日本酒はたしなまないし、こんな場は初めてだ。それに黒田は酒癖の悪さで有名だ。酔いが深くならないうちに、娘たちを連れて退散したかった。

思い返せば、幕府崩壊の際、黒田は仙が参戦した新潟での勝利を収めると、翌春には官軍を率いて箱館戦争も戦った。

そもそも旧幕臣や幕府方の脱藩者たちが、箱館の洋式城郭である五稜郭（ごりょうかく）に集結し、蝦夷地（えぞち）で独立国の樹立を宣言した。最後に残った旧幕府方の勢力だった。

これに対して黒田は、有利に戦いを進め、彼らを五稜郭に追い詰めると、開城を勧める使者を送った。さらに大量の酒樽も贈り、戦意を喪失させて、見事に開城を成し遂げたのだった。

この時、降伏した旧幕臣たちを、開拓使で重用（ちょうよう）した。この温情によって、黒田は旧幕府側からの人気を得た。

　仙自身、黒田に悪い印象はない。梅たちの留学にも感謝している。だが黒田には嫌な噂が三つあった。ひとつは妻殺し疑惑だ。

　黒田の妻は旧幕臣の娘だった。世が世ならば旗本の姫君だ。しかし体が丈夫ではなく、肺を病んだ末に、明治十一年（一八七八）に亡くなった。

　大量喀血（かっけつ）の末に死んだと言われているが、実は泥酔した黒田が、激高して斬り殺したのだとも噂された。日頃から酒癖が悪いだけに、それが、まことしやかに新聞記事になった。

　そんな記事を読んで、初は心配顔で仙に聞いた。

「これは本当なのでしょうか」

　仙は、はき捨てるように答えた。

「三流新聞の書きそうなことだ」

　そこまで黒田を疑いたくはなかった。

「奥方が病弱で、表舞台に出てこられないことに、不満があったのは事実だと思う。だからこそ女子を留学させて、表舞台に出られる日本女性を、育てたかったのだろう」

　徹底解明を求める声が上がる中、当時、薩摩藩閥を率いていた大久保利通が、黒田をかばい通した。それが大久保暗殺の一因になったともいわれている。

　ふたつ目の嫌な噂は、開拓使女学校に関わることだ。開拓使の女学校は、梅たちの留学の翌年、男子の学校と同様に、芝の増上寺で開校した。オランダ人の女性教官ふたりを雇い入れて、五十名の生徒で始まった。

ほどなくして男子校が札幌に移転し、女学校も後を追うようにして移った。しかし女学生たちの最初の宿舎は、よりによって、すすき野遊郭の一角だった。

札幌は出稼ぎの町で、荒くれ男ぞろいだった。そのため女学生が襲われる懸念があり、堀で囲まれて守りの固い遊郭に、一時、収容されたのだ。

その後、西洋館の校舎と宿舎が完成し、オランダ人の女性教官による授業も、軌道に乗った。

だが思いがけない事件が起きた。女学生ふたりが校長と教頭から酌婦扱いをされて、性的暴行を受けたと、開拓使の役所に訴え出たのだ。それも、もみ消されないように、郵便で書状を送ったことで発覚した。

この一件は、黒田にも怪しげなふるまいがあったと噂された。その結果、女学校は時期尚早と決めつけられ、開校から四年足らずで、あっけなく閉校に至ったのだった。

三つ目は官有物払い下げ事件だ。もともと開拓使は十年の期間限定で、新政府内に設けられた役所だった。その期限が近づいたので、開拓使が所有していた船や倉庫、農場、農具、炭鉱、さらにはビールや砂糖の工場などを、民間に払い下げて継続させることにした。

黒田は、それまで開拓に従事していた部下たちを退官させて、企業を立ち上げさせ、彼らに仕事を続けさせるつもりだった。しかし資金がないために、実業家の五代友厚が肩代わりした。

その代金が安すぎると、新聞がすっぱ抜いたのだった。特に五代は薩摩出身であり、開拓使との癒着が疑われ、以来、政商と呼ばれるようになった。

黒田は私腹を肥やしたわけではない。開拓は生易しい事業ではないことを、誰よりも熟知している。そのためには買い取らせるのではなく、むしろ助成金を与えてもいいくらいに考えていたのだ。

だが、いったん疑われると、悪い印象を覆すのは難しい。開拓使が解散した後、黒田は内閣顧問という閑職に追いやられた。

それでも仙は、今日の顔ぶれを見る限りでは、黒田が薩摩藩閥を率いている事実は、揺るぎないのだと悟った。

酒が進み、芸者たちが唄や踊りを披露した。黒田にしてみれば歓待しているつもりだが、梅も捨松も妙な顔をしている。アメリカで「ゲイシャガール」といえば、いかがわしい存在に思われているからだ。

踊りが終わった頃合いを見計らい、仙は黒田の背後ににじり寄って、小声で告げた。

「では私どもは、この辺で失礼しますので」

酔いがまわって、娘たちに酌など強要されてはたまらない。そんなことになったら、山川家にも顔向けができない。とにかく、その前に退散しなければならなかった。

　すると黒田は意外にも簡単に承諾した。

「おお、そうか。それは残念だな」

　だが梅たちに目を向けて言った。

「ならば最後に、西洋の歌でも披露していかんか」

　酌をしろと命じられるよりましだが、仙は不愉快に感じた。男子留学生だったら、そんなことは言われない。女子だから芸を披露しろとは、納得がいかなかった。

「うちの娘は不調法（ぶちょうほう）でして、人前で歌などは」

　仙が断りを口にした時、和服姿の五代友厚が、流暢な英語で言った。

──アメリカの歌を聞きたい。帰る前に一、二曲、披露して欲しい──

　五代は森有礼と一緒にロンドンに留学した仲間で、英語が堪能だった。

　すると案の定（じょう）、梅と捨松は困り顔を見交わした。しかし事態を呑み込んだらしく、小声で相談し、その場に立ち上がった。

──では二曲、歌います──

　捨松が指で調子を取り、ふたりで英語の歌を歌った。片方は賛美歌のようだった。うまいのか下手（へた）なのか、その場の誰にもわからない。

　それでも黒田は上機嫌だった。

「いや、けっこう、けっこう」

そして少し表情を改めて、仙に言った。

「開拓使が解散してから、留学生は文部省の管轄（かんかつ）に変わったから、今後のことは、そっちに頼んだらよか。文部卿は土佐のやつじゃっで、よくしてくれるかどうかはわからんが、とにかく一度、行ってみればよか」

そして簡単な紹介状を手渡してくれた。仙は一礼して受け取り、娘たちを連れて宴席から退散した。

それから人力車を二台連ねて、捨松を牛込の山川家に送り届けた。

「遅くなって失礼しました。思いがけなく宴席が用意されていたので。芸者も呼んであって、娘さんには少し居心地の悪い思いを、させてしまったかもしれません」

すると捨松の長兄で、陸軍大佐を務める山川浩（ひろし）が仙に頭を下げた。

「いいえ、とんでもない。津田さんには、すっかりお世話になって、本当に感謝しています」

細面（ほそおもて）で端整な顔立ちが、よく似ている兄妹だ。

「帰国の際の迎えにも、妹たちしか出られずに失礼しました」

仙は首を横に振った。

「いいえ、そちらは、お役目がありましょうし」

横浜での出迎えに、仙は浩と次兄の健次郎を誘ったが、公務があるからと丁寧に断られた。

今回の黒田への挨拶も、いちおう声はかけたが、兄弟とも土曜の午後でも仕事があるということだった。

仙は引き続き、捨松の世話を申し出た。

「次は文部省に行ってみます。私でよければ、また、ふたりを連れて行きますが」

「ぜひ、お願いします。捨松のことはお任せしますので」

浩は深々と頭を下げた。

黒田の屋敷から牛込の山川邸を経て、麻布の農場に帰った。そして仙は、梅と座敷の火鉢を囲んで、山川兄弟について感じたことを伝えた。

――彼らの態度には、私にも、おまえにも見習うべき点がある――

そもそも山川浩は、明治四年（一八七一）の廃藩置県によって下北半島の斗南（となみ）藩が消滅したために、藩の束ね役の地位から退いた。

その後は新政府の陸軍に出仕し、佐賀の乱や西南戦争の際には、武術に秀（ひい）でた会津兵を率いて戦った。特に西南戦争では、西郷軍を相手に目覚ましい活躍をして、会津の復権に貢献した。

一方、次兄の健次郎は、アメリカ留学中は名門のイェール大学で物理学を修め、今は東京大学で教授を務めている。

仙は火鉢の炎を見つめて話した。

――長兄が働く陸軍はもちろん、次兄のいる東京大学も新政府の大学だ。会津出身者が、そういった公的な仕事を続けるには、とことん身を律しなければならないのだろう――

梅は黙って聞いている。

――私はな、みずからを振り返って、旧幕臣の生きにくさは、そういった意識の欠如から来るのだと思い知った。開拓使にいた時も、大蔵省の勧農寮にいた時にも、山川兄弟ほどの厳しい意識はなかった――

そのために足をすくわれる結果を招いたのは疑いない。

――私は役人に留まるよりも、おまえの留学を優先したことに悔いはない。それでも、おまえは今後、身を律して、自分の使命をまっとうせよ――

言いにくいことを、思い切って口にした。

――一緒になりたい男が現れれば、一緒になるがいい。だが使命優先を理解してもらえる相手を探せ。おまえの留学には、普通の家族が一生、暮らしていけるほどの公費が、費やされたのだ。その恩を返さなければならない――

すると梅も炭火に目を落として答えた。

――結婚するつもりはありません。恩返しができるような仕事に、一生をかけたいと思っています――

仙としては、娘に結婚を諦めさせるのは忍びない。でも家庭に入って夫や舅姑に仕え、子供たちを育てるために留学させたのではない。娘の模範的な答えは満足だった。

梅は火鉢の縁に手をかけて、ふいに顔を上げた。

――フィラデルフィアの万博の時に、田中不二麿という文部大輔の方に、とてもお世話になりました。私たちが帰国したら、いずれは女子師範学校で教えるようにと言ってくれましたので、手助けしてもらえるかもしれません――

田中不二麿は明六社の会員だったので、仙とも懇意だった。

さっそく文部省に面会を申し入れたが、すでに田中不二麿は文部省を去って、司法や外交分野に転じていた。


それでも翌週、梅と捨松のふたりを連れて、改めて文部省に赴いた。黒田清隆の紹介状を手に、なんとか福岡孝弟という文部卿との面会にこぎつけた。

黒田の言う通り土佐出身で、会ってみると、いかにも堅物そうな人物だった。仙と娘たちを前に、福岡は椅子に腰掛けて、捨松と梅の卒業証書を一瞥した。

「それで、ふたりとも日本語の読み書きは、どの程度できるのかね」

仙が、ふたりに代わって答えた。

「できません。日本の教育は受けていませんので」

「ならば、話すのは？」

「こちらの山川捨松は、いくらか話せますが、うちの娘は、これから学ばせるつもりです」

するとと福岡は深い溜息をついた。

「それなら女の御雇外国人と同じだな。大金をかけて十一年も留学させるくらいなら、御雇外国人を何人も呼べたであろうに」

卒業証書を、それぞれに返して言う。

「黒田どのは女子留学生を、開拓使の宣伝に使ったのだな。帰ってきてから何をさせるかも考えずに」

とにかく物珍しいことをやって、開拓使の斬新さを世の中に印象づけたのだという。

「青山に官園を開いたのも宣伝であろう。北海道と気候の違う東京の青山などに、試験農場を開いても意味がない。女子留学生も黒田どのの手だ」

仙はくちびるをかんだ。青山官園が宣伝の手段だったことは、黒田本人から聞いている。それくらいしなければ北海道の開拓はできないと、仙自身、納得したからこそ、土地選びに手を貸したのだ。

だが女子留学生も宣伝と指摘されるのは不本意で、思わず反論した。

「いいえ、はっきり決まってはいませんでしたが、帰国後は開拓使女学校で教えるという見込みはありました」

「だが、その女学校も醜聞の末に廃校だ。とにかく女子に留学など無駄だった」

「でも去年帰国した永井繁は、師範学校などでピアノを教えて、世の役に立っています。このふたりにも、どうか教師の役目を賜りますように」

「ピアノは日本語ができずとも、弾いてみせればすむ。だが、ほかの教科で日本語ができぬのでは、話にならん」

「でも英語で英語を教えることはできます。それが本来の英語教育です」

するど福岡は、うるさそうに片手を振った。

「英語の教官は、どこも御雇外国人が務めているゆえ、間に合っている。とにかく何をさせるかは、こちらで検討するから、連絡を待て」

そして無駄金を使ったのが、いかにも腹立たしいと言いたげに、手で追い払うような仕草をした。

仙は部屋の外に出ても、福岡の言葉を、ふたりに訳して聞かせる気にはなれなかった。それでも勘のいい娘たちは、よくない結果を察していた。

梅が遠慮がちに聞く。

――私たちが日本語ができないのが、問題なのですね――

――まあ、そういうことだ。とにかく日本語の勉強をしよう――

すると捨松が意外なことを言い出した。

――私は家を出て自活しようと思います――

仙は首を傾げた。

——自活？　どうやって？——

——女子向けの塾を始めます——

——しかし女子向けの塾なら、もう海岸女学校がある。賛成はできないな——

ドーラ・スクーンメーカーの創った学校と、生徒の取り合いになりかねない。

——だいいち家を借りるにも費用がかかる。どうするつもりだね？　生徒だって、すぐには集まらないだろう——

——お金のことなら、なんとかします。私は英語だけでなく、日本の少女たちに生き方を教えたいのです。津田さんの手をお借りしなくても、大丈夫です。私ひとりでも頑張ります——

生き方を教えたいというのは、もっともな話だった。男子向けでも、進むべき道を教える塾は少なくない。

たとえば勝海舟は、幕府崩壊のはるか前から蘭学塾を開いていたが、そこではオランダ語を教えるだけではなかった。欧米社会の先進性を説き、それを取り入れられるよう、ものの見方や生き方を教えていた。

ただ仙は少し面食らっていた。捨松が、これほどはっきり自己主張するとは思わなかったのだ。まるでアメリカ女性のようだった。

アメリカで育ったのだから当然ではある。しかし日本女性でありながら、ここまで自己主張してしまうと、日本社会に受け入れられにくくなる懸念がある。

その点、梅は、いくぶん控えめだ。ただし日本語の問題は梅の方が深刻であり、ふたりとも問題を抱えている。

その日も、また山川家まで送り届けた。浩には、今は日本語の習得が先決であり、いずれ文部省から沙汰があるとだけ伝えた。捨松の自己主張については、あえて警告する気にはなれなかった。

麻布の農場に帰ってから、梅に聞いた。

――もしも捨松が塾を開くことになったら、おまえも手伝うつもりか――

――手伝います。生徒が増えたら、亮にも声をかければ、喜んで加わると思います――

吉益亮は眼病が完治してから、仙の口利きでドーラ・スクーンメーカーの海岸女学校を手伝った。やはり亮も、女子のための塾を開く夢を、抱いていると聞いている。

梅は言葉に力を込めて話し始めた。

――いずれは学校の正式な認可を受けて、音楽科も設けて、繁にも教えてもらいます。日本初の女子留学生が教師ですから、世間の話題になって、きっと生徒は集まるでしょう――

仙は、わが娘も、けっして控えめではないと知った。やはり思いがけないほど強く主張する。

とはいえ学校創設の夢は、もうずっと前から抱いてきたらしい。仙は深い溜息をついて、気持ちを切り替えた。

——そうか。わかった。おまえたちが本気なら、私も手を貸そう。ただし生徒集めは、そう簡単ではないぞ——

農学校を運営しているからこその実感だった。

——覚悟しています。それでも女子教育への貢献が、私たちに課された何よりの恩返しですので——

六　梅の焦燥

梅がランマン夫妻に手紙を書いていると、玄関の方から琴の声がした。

――梅、捨松さんと、繁さんが見えたわよ――

急いでペンを置いて立ち上がり、跳ねるような足取りで玄関に向かった。今や捨松や永井繁と英語で気兼ねなく話すのが、梅にとって何よりの楽しみだ。

玄関に駆けつけると、琴が上がり框に膝をついて、手製のスリッパを揃えていた。

――靴のまま、スリッパを履いてくださいな――

津田家には欧米人の来客も多い。西洋野菜や缶詰の大量購入の商談などに来るのだ。彼らは玄関で靴を脱ぐ習慣がないため、靴ごとスリッパを履かせて、家の中に上がってもらうことにしている。

だが捨松も繁も首を横に振った。

――いいえ、ここで靴を脱ぎます。家でも、そうしていますので――

ふたりは上がり框に腰かけて、編上げの短靴の紐をほどき、絹製の靴下だけになって家に上がった。草履（ぞうり）のように脱ぐのが楽ではなく、手間暇がかかる。

人の家を訪問した際に、靴を脱ぐかどうかなどという細かな点でも、まだまだ戸惑うことばかりだ。

梅の背後で、ひそひそと話す子供の声が聞こえる。振り返ると、廊下の角に寄り集まって、こちらをうかがっている。留学中に生まれ育った幼い妹たちだ。

留学前にも弟がふたりいたが、今は片方が京都の同志社英学校に行って、家を離れている。下の弟も、いずれは同志社に進むつもりで、毎日、愛宕下（あたごした）の学校に通っている。

ほかにも弟が生まれたと聞くが、早世（そうせい）したり、すでに他家に養子に出たりして、今、家にいるのは妹ばかり四人だ。

彼女たちは、梅以外の日本女性が洋服を着ているのが珍しいらしく、しきりにのぞき見している。だいいち梅に対しても、まだよそよそしい。

琴が振り返って何か叱った。捨松は苦笑して、琴をなだめた。

――気にしないでください。私なんか甥（おい）に近づくと、いつも泣かれてしまうの――

繁が脱いだ靴を揃えながら言う。

――私も最初は、そうだったわよ。子供は正直だから――

個人的にピアノの出張教授もしているが、幼い生徒が繁の姿を見て、泣き出すことがあるという。

――私はね、この眼鏡が怖がられるみたい――

自分の眼鏡のつるを持って、軽く上下させた。

繁はアメリカ滞在中に近視とわかり、銀縁の丸眼鏡をかけるようになった。梅から見ると、よく似合っているものの、まだまだ日本女性には馴染みがない。

繁自身、眼鏡が気になるらしく、話をする時に、始終、指先で持ち上げるのが癖になっている。

梅はふたりを座敷に案内した。津田家では欧米人の接客用に、座敷に絨毯を敷き詰めて、西洋家具のソファやコーヒーテーブルを置いてある。

繁が物珍しそうに、ソファに腰かけた。

――梅のおうちはいいわね。日本と西洋が自然に合わさった感じで。うちは兄が洋館を建てたのだけれど、なんだか趣味が妙なのよ。ヨーロッパの宮殿を、安っぽく真似たみたいな感じで、変に仰々(ぎょうぎょう)しいし――

繁の兄である益田孝(ますだたかし)は、一時、大蔵省に勤めたが、その後、豪商である三井家の傘下で、三井物産を立ち上げた。今や社長として大きな成功を収めている。繁が永井家に養女に出た形なので、苗字は異なるものの、三人の中では、もっとも裕福な暮らしぶりだ。

――外観は宮殿なのに、奥は座敷で、完全に日本の暮らしなのよ。私、今でも畳に座るのは、ひと苦労だわ――

梅は奥の方を目で示した。

――うちだって奥は日本式よ。私も正座はつらいわ――

――そうでしょう。足がしびれて嫌よね――

繁は捨松に顔を向けた。

――捨松のところは、どお？――

――うちも日本式よ。特に立ちふるまいに、細かい決まり事があって大変。まず右膝を少し内向きにして立てて、そこに右手を置いて立ち上がるんですって。それに家には会津出身の書生が大勢いて、いつも見張られているみたいな気分よ――

優秀な若者が、経済的な理由で進学できずに頼ってくると、つい山川浩が面倒を見るため、いつまでも大所帯の貧乏暮らしだという。

繁はソファの肘掛けに寄りかかって言う。

――私、結婚する時には、こんな部屋を造ろうっと――

梅は意外な気がした。繁も仕事に生涯を捧げると思いこんでいたのだ。一緒に塾や学校を立ち上げようと、もう約束している。だが真意を確かめようとした時には、話題が変わってしまった。

それから、あれこれと愚痴を言ったり笑ったりしているうちに、梅が思い出して、捨松に聞いた。

――そういえば、家を出るって話、進んでる？　お金は、おうちで出してもらえるの？――

とたんに渋面になった。

――それが駄目なの。お金は家からは、とうてい期待できないから、アリス・ベーコンに百ドル貸してほしいって手紙を書いたのよ。いずれ返事は来るけれど。でも、お金のことよりも、塾を開くこと自体に、兄が猛反対――

――なぜ？――

――文部省から何か言ってくるのを待つべきだから、勝手なことをしてはいけないって。もし文部省が私たちの仕事を探さなかったら、それは文部省の怠慢だって、兄は、そう言うのよ。やっぱり繁みたいに女子師範の教官にでも、したいんでしょう――

繁が肩をすくめた。

――そこまで堅く考えなくても、いいような気がするけれど――

――私も、そう言ったんだけど、兄は頑固だから――

捨松は顔を梅に向けた。

――その点、梅はいいわよね。お父さまが何かと理解があって。ご両親ともクリスチャンだし――

梅の留学中に両親とも洗礼を受けており、家では食事の前後や就寝前に祈るのが習慣になっている。そうでない暮らしなど、梅には想像もつかない。

繁が眼鏡の奥の眉を上げて言った。

――いっそ、梅が塾を開けば？　津田塾。いいんじゃない？――

捨松も気軽な口調で賛成する。

――あ、よさそう。そうしたら私、事務局を務めるわ。それなら、きっと兄も認めてくれるでしょうし――

梅は苦笑した。

――冗談はよしてよ。捨松が塾長でなければ話にならないわ。私は一教師で充分よ――

また、ひとしきり笑ったところで、繁が急に真面目な表情に変わって言った。

――今日は、ふたりに大事なことを話しにきたの――

梅も捨松も何事かと身構えた。

――実はね、私、来月、結婚するの――

ふたり同時に叫んだ。

――えぇッ？――

――早く伝えなきゃって思ってたんだけど、なかなか切り出せなくて――

捨松が目を輝かせて聞いた。

――相手は？――

――ふたりが知っている人――

――誰？――

――瓜生外吉――

梅は信じがたい反面、ああそうだったのかと、腑に落ちる気もした。

かつて瓜生外吉はアナポリスの海軍兵学校に留学しており、繁がヴァッサー女子大を卒業した際には、留学仲間を誘って参列した。式典の後、梅も捨松も一緒に、男女五人でハドソン川の川下り船に乗って、一日を楽しく過ごしたのだ。

アナポリスは梅のいたワシントンＤＣに近い。そこから、わざわざ卒業式まで足を運ぶくらいだから、当時から双方、思いを寄せていたに違いなかった。

なぜ、もっと早く打ち明けてくれなかったかと恨む一方で、ふたりの仲に気づかなかった自分が、いかにも愚かに思えた。

梅の憂いをよそに、捨松が歓声をあげた。

――繁、おめでとうッ――

ソファから立ち上がり、両手を広げて繁に飛びついた。

――好きな人と結婚できて、本当によかったわ――

繁も立って、ふたりで抱き合い、飛び跳ねるようにして喜んでいる。

梅も祝いを口にしなければと思うのに、言葉が出てこない。体もこわばって動かない。

捨松が気づいて手招きした。

——梅、何してるのよ。あなたも、お祝いを言いなさいよ。びっくりしちゃったでしょうけれど——

繁も笑顔で言う。

——梅、驚かせちゃって、ごめんなさい。外吉とのことは、捨松には相談したことがあったんだけど、梅には、なかなか打ち明ける機会がなくて——

梅は顔を上げた。コングラチュレーションと言おうと思うのに、口から出た言葉は、まったく別のものだった。

——仕事は、どうするの？　私たちと一緒に塾や学校を開くんじゃなかったの？——

声が険しくなってしまう。

——結婚なんかして、留学の恩返しは、どうするつもり？——

ふたりは戸惑い顔で、そっと体を離した。捨松が言い訳がましく言う。

——結婚したって仕事はできるわ。それも相手は瓜生さんだもの。理解してくれるに決まってる——

繁自身も慌て気味に言う。

——ピアノ教師は続けるつもりよ。家事や子育てとの両立は無理じゃないわ——

なおも梅は攻撃的な言葉をはいた。

――そんな片手間のつもりだったの？　女子教育に一生を捧げるんじゃなかったの？――

繁は急いで駆け寄って、腰かけていた梅のかたわらにしゃがんだ。

――ごめんなさい。でも、だからこそ私は、梅が塾を開けばいいかなって――

思わず声が高まる。

――何を言ってるの？　私に責任を押しつけるつもり？――

梅は自分が温厚な性格だと自覚している。こんなふうに感情をあらわにすることなど、滅多にない。なのに今は、自分を制御できなかった。

――ねえ、捨松は、それでいいの？――

同意を求めるつもりで、立っている捨松を見上げた。しかし意外なことに、捨松は首を横に振った。

――梅、私たちは責任を押しつけるつもりはないわ。でも結婚の話と、学校の話は別よ。どうか、繁の幸せを喜んであげて――

いよいよ納得がいかない。

――幸せって、結婚が無条件に幸せだとでも言うの？――

――そうじゃないけれど。私だって、縁談は勧められているのよ。周囲が放っておいてくれないの。女は結婚しなければ、何ひとつ始まらないからって――

――結婚してから、何を始めるっていうのよ？　夫に仕えて、子供を育ててたら、それで手一杯で、留学の恩返しなんかできないでしょう？――

捨松は、ふいに手のひらを、こちらに向けた。

――梅、よく聞いて。今、私のところに来ている縁談の相手は、いずれは、どこかの国の公使になる人なの。外交官は夫が表向きの交渉を担って、妻は社交で後押しする。それなら日本のために働くのだし、充分に恩返しができるでしょう？――

いよいよ信じがたい思いで聞いた。

――本気？　捨松まで結婚するの？――

――しないわ。今、そう決めたの。繁が愛する人と結婚するって聞いて。やっぱり愛のない結婚なんてすべきじゃないって、わかったのよ――

梅は呆然とした。繁の結婚も衝撃だったが、捨松にも縁談があるというのも思いもかけなかった。

だが捨松ほどの美貌（びぼう）であれば、周囲が放っておかないのもうなずける。梅は自分ひとりが取り残されたような気がした。

それに今、捨松が決めたというのは、もしかして自分が激高してしまったからではないのか。本当は外交官夫人として、日本のために働きたかったのに、遠慮したのではないか。声高に言い立てたことを、たちまち悔いた。

だが捨松は微笑みを取り戻して言う。

――梅、安心して。学校を創るのは簡単じゃないけれど、私は夢を諦めたわけじゃないわ。一緒に頑張りましょう――

梅は複雑な思いで、何も答えられなかった。

気づけば、繁が眼鏡を外して、ハンカチーフで目元を拭(ぬぐ)っている。泣くまで責め立ててしまったことを、申し訳なく感じた。

結婚式は十二月一日、式場は三井物産の社長である繁の兄の邸宅だった。御殿山(ごてんやま)という品川(しながわ)の高台にある豪邸に、日本人の牧師を呼んで執(と)り行われた。

三井物産の縁で、新政府高官から商取引の相手はもちろん、欧米の外交官まで招待されており、祝宴は洋式の大パーティだった。梅は父と一緒に出席した。

梅たちは余興として英語劇を披露した。同じ頃にアメリカに留学して、当時から交流のあった男性たちが加わり、演目はシェイクスピアの「ベニスの商人」を選んで、裁判のシーンから演じた。

花嫁の繁は観る側だが、主役であるベニスの商人が花婿の瓜生外吉。捨松が男装の女性裁判官、梅がその侍女、そのほかユダヤ人の高利貸しなどには、かつての留学仲間たちが扮した。衣装も凝(こ)って、稽古も入念に準備した。

劇中で女性裁判官に思いを寄せる男性の役を、神田乃武(かんだないぶ)という留学仲間が演じた。捨松よりも三歳上の江戸っ子で、上背があって顔立ちも性格もいい。

梅は稽古で何度も集まるうちに、神田が劇中だけでなく、実際に捨松に心惹(ひ)かれていることに気づいた。繁の結婚式がすんだら、もしかしたら、ふたりが後に続くかもしれないと覚悟した。

その時こそ祝福しようと決めた。繁は、どれほど梅が反対しようと、意志を通したのだ。こうなってみると、祝い事に異を唱えるなど、あってはならないことだと思い知った。

当日「ベニスの商人」は大成功で、大きな拍手を受けた。だが拍手が鳴り終えると、思いがけないことが起きた。

西郷従道(つぐみち)という農商務卿が、舞台に躍り出たのだ。以前、黒田清隆の屋敷でも顔を合わせた薩摩藩閥の高官で、西郷隆盛の弟だ。

西郷従道は、わかりにくい薩摩弁で、高らかに何か宣言すると、突然、手拍子を打ち鳴らし、「あ、よいしょ」とか「あ、そうれ」とか掛け声を口にし始めた。

次の瞬間、梅は呆気(あっけ)にとられた。西郷従道が軍服を脱ぎ始めたのだ。見ていた薩摩人たちが次々と声を張る。

「待ってましたッ、裸踊りッ」

「天下の農商務卿、お得意の裸踊りじゃあ」

「従道どん、どんどん脱げッ」

さらに彼らは手拍子や掛け声を揃えて、調子を取り始めた。

西郷従道はシャツもズボンも脱いでしまい、たちまち、褌（ふんどし）一枚の裸になった。その姿で、なおも手足を滑稽（こっけい）に動かして踊り続ける。

薩摩人以外の男たちも、たちまち大爆笑になった。しだいに手拍子や掛け声が広がっていく。

欧米人は目を丸くしながらも、男たちは苦笑し、女性は困り顔で目をそらしている。梅も捨松も下を向いた。新政府の高官が、こんな破廉恥（はれんち）な踊りを披露しようとは、心底、恥ずかしかった。

さらに大喝采が湧いた。どうやら裸踊りが終わったらしい。笑いが尾を引き、英語劇を上まわる拍手が湧く。

梅は捨松に怒りをぶつけた。

――何なの、あれは。失礼じゃない？　私たちの高尚（こうしょう）な劇が台なしよッ――

見れば劇を演じた留学生仲間までが、手を打って大笑いをしている。梅は裏切られた気がして、涙が出そうになるほど悔しかった。

帰りがけに、父が梅の怒りに油を注いだ。

――あれは西郷従道どのが機転（きてん）を利かせたのだ――

――機転？――

――あのままでは男子留学生たちが、気取った人物のようにみなされて、先々、周囲から足を引っ張られかねない。だから場を和ませたのだ――

――私たちの劇が――

目もくらむほどの怒りが込み上げる。

――私たちの劇が、気取っていたとでも？――

仙は言い過ぎたと思ったのか、少し首を傾げた。

――まあ、そう受け取る者はいるだろう。英語など、わからぬ者が多いし――

信じがたい言葉だった。わかりやすいようにと日本語の解説もつけたし、あれほど何度も集まって稽古した結果が、気取っているという評価とは。

――父上まで、あんな馬鹿げた踊りを、認めるとは思いもしませんでした――

――西郷従道どのは薩摩藩閥の中でも、特に評判のいい人物だ。おまえも、そろそろ満十八歳だし、日本には日本のやり方があることを受け止めろ。そうでないと生きにくいぞ――

そう言われても、とうてい梅の腹の虫は収まらなかった。

待てど暮らせど文部省からは、何も言ってこない。いくら問い合わせても、検討中というばかりだ。

すると仙が勧めた。

――いっそ海岸女学校で教えるか。あそこなら無理を聞いてもらえるだろう――

梅は承知し、仙と一緒に、築地の外国人居留地におもむいた。

明治二年（一八六九）に築地の一角が居留地として開かれて以来、宣教師が居住し、教会や学校、病院などを開いている。街並みは洋館が連なり、日本ではないかのような雰囲気だ。

ただし横浜のような貿易の町ではないため、行き交う人影は少なく、ひっそりとしている。

そんな中で、海岸女学校は思いがけないほど立派な校舎だった。

仙が足を止めて、建物を見上げた。

――アメリカの教会から、支援を受けて建てたのだ。アメリカ人は寄付を頼まれると、気軽に応じるのでな――

それは大屋根を持つ二階建てで、二階の端から端までベランダが続いていた。梅にはハワイか、南方の植民地の建物のようにも見えた。

仙は玄関に向かって、また歩き始めた。

――ドーラ・スクーンメーカー女史は、もうアメリカに帰ったが、その後も何人も女性教師が来日している。そんな中なら、おまえも働きやすいだろう――

父とともに校舎に入り、メアリー・ホルブルックという校長と面談した。

ホルブルックは毅然（きぜん）とした態度の女性だった。背筋を伸ばし、堂々とした口調で話す。

――私は日本女性を啓蒙（けいもう）するために、日本にやって来ました。とかく未開の女性は男性に虐げられています。彼女たちを文明化し、目を見開かせるのが、私たちの仕事です――

それから校舎の中を案内してくれた。

――大教室がひとつと、教室が四つ。全寮制で、生徒向けの食堂もあります。生徒数は急増していて、今は五十人余りですが、百人を超すのも、そう先のことではないでしょう――

毎朝、始業前に礼拝があり、日曜学校も開かれるという。

――教科は英語と自然科学に、特に力を入れています――

教養高い家庭夫人の育成はもちろん、女性教師や女性宣教師の輩出も目指していた。

生徒向けの食堂には、大きな厨房があり、薪のオーブンが備えられている。

――日本人の食生活も改善すべき点です。米と漬物ばかりでは、いつまでも小柄なままです。その点、あなたのお父さまは、とても先駆的な考えの持ち主です。栄養豊富な西洋野菜を育て、乳製品も手がけています――

仙が提供した食材を用いて、料理の仕方を教えているという。

――この学校の卒業生が嫁いだ家では、次の世代で、かならず体格が向上するでしょう――

すると仙が冗談交じりに調子を合わせた。

――梅はアメリカに行く前には、やせっぽちな娘でしたが、すっかり肉付きよくなって帰国しました。私に似てしまったのかもしれませんが、それにしてもアメリカの食生活が、よほどよかったのでしょう――

梅は自分の体型が好きではない。もっとすらりとしたいのに、どうしてもやせられない。それを指摘されるのは不愉快だったが、黙ってやり過ごした。

女学生は昔ながらの着物姿で、梅たちとすれ違う際には、きちんと頭を下げる。

その姿を見ながら、ホルブルックが言った。

――着物は不健康で、活動的ではありません。本当は洋服の制服を定めたいのですが、生徒の家庭の負担を考えると、今すぐにはできません。

梅は違和感を覚え始めた。校舎も目指す教育も立派ながら、日本人や日本文化を認めようとしない態度が気になる。話を聞いているうちに、いよいよ黙っていられなくなって、ついに反論した。

――日本は遅れた国ではありません。私はフィラデルフィアの万国博覧会に行きましたが、日本文化は新聞で絶賛されました――

梅は、暗記するまで何度も何度も読んだ、あの記事を復唱した。

――ブロンズ製品や絹ではフランスに優り、木工、家具陶磁器で世界に冠たる日本を、なぜ文明途上と呼べるだろうか――

着物の美しさも認めてもらいたかった。

――私たちは横浜からシカゴまで、豪華な振袖で旅しました。その時は見世物になったようで嫌でしたが、アメリカの人々の目は、その美しさに釘づけでした――

捨松の卒業式の話もした。

——彼女の研究発表は見事でしたが、そこに振袖が華を添えました。だれも着物が不健康などとは考えません——

するとホルブルックは、きっぱりと否定した。

——それは物珍しかったからです。日本の民族衣装は重くて動きにくいし、胸元、襟元、脇の下が開いていて、よく風邪を引かないものです——

梅は、なおも反論しかけたが、仙に止められた。

——梅、やめなさい——

止める父にも腹が立ったが、話しても無駄だと感じて、口を閉ざした。

一方、ホルブルックは口をへの字に曲げてしまった。仙が詫びた。

——帰国して四ヶ月で、まだ日本の現状を知りません。どうか、ここで雇って、いろいろ教えてやってください——

梅は怒りが爆発しそうだったが、かろうじて無言を貫いた。するとホルブルックは、いかにも不本意そうに言った。

——それなら、まずは一学期だけ、仮採用として働いてもらいましょう——

とにかく、ここで働かなければ、今は仕事がない。梅は頭を下げるしかなかった。

教えること自体は楽しかった。少女たちは素直だし、英語を片端から覚えていく。

だが、ひと月後に給金を受け取って、梅は愕然とした。わずか十五ドルだったのだ。アメリカ人の同僚たちは、五十ドルから七十五ドルもの高給を得ている。信じがたい待遇差だった。

梅としては給金を貯めて、いずれは捨松と学校を開こうという心積もりもあり、月に十五ドルでは話にならない。

すぐにホルブルックに掛け合いに行くと、何が悪いと言わんばかりの態度だった。

——日本人には、これが規定の額です——

——でも私はアメリカで女学校も出て、きちんと教えられる資格があります。なのに、これは不当です——

——梅、あなたには立派な父親がいて、暮らしに困っていません。ならば、この額で充分でしょう——

——父と私とは別です。私には相応の評価をしていただきたいのです——

——梅、あなたにできることは、ほかのアメリカ人教師でもできます。でも、あなたのお父さまが、あなたを雇って欲しいと言ったので、特別に仕事を与えているのです。その立場を忘れてはいけません。まして、あなたが教えられるのは英語だけです。そのうえ学歴は女学校卒業だけで、大学も出ていない。だから、この額で相応です——

梅は言葉を失った。

その週末、梅は吉益亮の家を訪ねた。

——梅が海岸女学校で教え始めたと聞いて、きっと訪ねてくると思ったわ——

亮はアメリカにいた頃のように、梅を抱き寄せて歓迎してくれた。帰国時には焦点が合わなかった瞳も、すっかり完治し、いっそう色白の美人になっている。

聞けば、亮は留学一年で帰国した後、まず眼病を完治させ、一緒に帰国した上田悌とともに、横浜のミッションスクールで、改めて英語を習ったという。その後は仙の口利きで海岸女学校に勤め、五年間、アメリカ人教師たちの手伝いをしたのだった。

梅がホルブルックと反りが合わないと打ち明けると、亮は深くうなずいた。

——海岸女学校では、私も正直、納得いかないことが、たくさんあったわ。でも留学から、たった一年で帰ってきてしまったから、最低でも五年は勤めようって決めていたの——

その間に英語の教え方や、学校の運営方法の知識を得たという。

——今はね、英語の家庭教師をしているのよ——

梅は、なるほどと感じ入った。

——亮は優しいから、子供に好かれるでしょう？　私も優しくしてもらったし——

——そうね。子供は好きよ。教えるのも楽しいし——

——ずっと続けるの？——

——父が時期を見て、女子向けの英語塾を開かせてくれるって言うの。私は、それに生涯を捧げるつもりよ——

梅は衝撃を受けた。亮が、そこまで考えていたとは意外だったのだ。自然に励ましの言葉が出た。

——亮の塾なら、きっと評判になるわ——

——そう言ってもらえて嬉しいわ。もし生徒が大勢になって、私だけじゃ手がまわらなくなったら、梅も手伝ってくれる？——

——もちろんよ。私の方から頼みたいわ。捨松だって大喜びで手伝うはずよ——

——ありがとう——

——でも塾に生涯を捧げるって、結婚しないってこと？　亮なら、お嫁に欲しいっていう人は、いくらでもいるでしょう？——

——縁談はあるけれど、私は家庭に入るつもりはないのよ。だって一年だけだったけれど、留学させてもらったんだから、それを生かさなきゃ——

梅は感動していた。やはり亮も同じ思いを抱いていたとは。

亮が聞き返した。

——梅こそ、結婚しようという人はいないの？——

——いないわ。私は亮みたいな美人じゃないし、繁みたいに明るくないし、捨松みたいに華やかじゃないし——

——なぜ、そんなに自分を卑下するの？　梅は素敵よ。真面目で努力家で。結婚を申し込まれたことだって、あるんでしょ？——

——それは、ないわけじゃないけれど——

しばらく前に神田乃武から結婚しようと言われた。「ベニスの商人」の仲間だ。しかし神田は捨松に心を寄せていたはずだった。それを問いただすと、神田は、あまりに正直に答えた。

——捨松には断られたんだ。その後、捨松と繁から君を勧められて。それまで君を恋愛の対象として見たことはなかったけれど、言われてみると、いいなと思えたし——

梅は深く傷ついた。神田は上背もあり、顔立ちも際立っている。捨松から断られたからと、すぐに鞍替えする安易さが、江戸っ子らしいと言えば、そうとも言える。だが梅には、とうてい受け入れられない。

その後も別の男性から、結婚をほのめかされたこともある。だが神田との経験から、男性不信に陥っており、すぐに断ってしまった。以来、結婚に対する憧れは、自分の中で封印している。

梅は亮に告げた。

——私も女子教育に一生を捧げるつもりよ。だから亮の塾に期待するわ——

——わかったわ。でも、お金を貯めなきゃならないし、まだしばらく先になりそうだから、梅も家庭教師をするといいわよ。教え方の勉強にもなるし。梅さえよかったら、次に新しい生徒の申込みがあったら、紹介するわ。海岸女学校で働きながらでも、夜や週末なら教えられるでしょう――

――ありがとう。そうしてもらえると助かるわ――

梅は、ようやく希望が芽生えた思いがした。

気が緩むと、ふいに愚痴が出た。

――それにしても日本語が、これほど難しいとは思わなかったわ。一生懸命、勉強しているのだけれど、尊敬語とか謙譲語とか、相手によって使い分けなきゃならないし――

――梅は、相変わらず真面目ね。そんなに堅く考えなくてもいいのよ――

――でも話すからには、きちんと話したいの。今更ながら、悌の気持ちがわかる気がする。七つ八つで英語を覚えるのは、あっという間だったけれど、この歳になってから、言葉を覚えるのは苦労よ――

留学当時、上田悌は満十六歳だった。自分は、あの時の悌よりも二歳も上になっている。まして、母国語なのだから思い出すのも早いと思い込んでいただけに、予想外の苦労だった。

――そうね。でも悌だって、あれから私と一緒に横浜で英語を習って、とても上手になったのよ――

今は桂川甫純という医者の後妻に収まっているという。桂川家は幕府崩壊前まで、将軍の侍医を務めたほどの蘭学の名家で、誇り高い悌らしい嫁ぎ先だった。

——梅の日本語も、きっと大丈夫。もっと自信を持ちなさいよ。それに日本語を覚えるためにも、家庭教師は悪くはないわよ。生徒から日本語を習えばいいし——

——そうね、ぜひ紹介して——

ふたりは約束を交わして、その日は別れた。

しかし家庭教師先は、思うようには見つからなかった。亮に紹介されて行ってみると、日本語で教えてほしいのでと断られた。亮の人柄が評判になっており、やはり亮本人に頼みたいらしい。

一方、意外なことに、海岸女学校からは仮採用終了後の正雇用を提案された。しかし梅は、どうしても続ける気にはなれなかった。そして、またもや無職に戻ってしまった。

梅の失意に追い打ちをかけることが起きた。捨松が思いがけないことを打ち明けたのだ。

——しばらく前のことなのだけれど、実は文部省から仕事の誘いが来たの。女子師範学校で生物学を教える人が辞めたから、その後を務めないかって——

——本当？　素晴らしいじゃない。生物学はヴァッサーでも得意だったんでしょ？　いつから着任？——

——そうなんだけれど、お断りしたの——

――なぜ？　なぜ断ったの？――

――だって着任まで二週間しかなくて、まして日本語で教えなきゃならないっていうのよ。今まで教えていたのは男性の教官だったし、私が教壇でもたついたりしたら、女だから駄目だって言われそうで――

充分な準備期間があれば、生物学の専門用語の日本語訳を調べて、黒板に書く練習もできただろうが、二週間では不可能だという。

――要するに文部省は、私にできないことを課して、断ってくるって見越していたのよ。それで約束を守ったつもりになっているの――

――そんな――

――私は、よくわかったの。私には教師の道は開けないって――

――じゃあ、どうするつもり？――

――これは、よくよく考えた結果なのだけれど――

捨松は、いったん言葉を区切り、気持ちを奮い立たせるかのように告げた。

――私、結婚することにしたの――

繁の時を超える衝撃だった。

――前に結婚を申し込まれて断った相手だけれど、また申し込まれて、今度は受けることにしたのよ――

かろうじて反対の言葉を呑み込んだ。

――相手は神田さん？――

いったん断った相手となれば、神田乃武に違いなかった。しかし捨松は首を横に振った。

――彼は子供っぽくて嫌なの。私には、もっと年上の人が合ってるみたい――

神田乃武は捨松より三歳上で、梅から見たら充分な大人だ。それを子供っぽく感じるとは。

――じゃあ、誰なの？――

捨松は目を伏せて答えた。

――大山巌（いわお）さん――

梅は耳を疑った。

――大山巌って、あの小太りの中年男？――

捨松は苦笑した。

――そりゃ、見た目は冴（さ）えないけれど、いい人なのよ。フランス留学の経験もあって、考え方も進歩的だし――

大山巌とは黒田清隆の屋敷でも会ったし、繁の結婚式にも来ていた。その後も何度も顔を合わせている。陸軍卿を務めており、薩摩藩閥の重鎮（じゅうちん）のひとりだ。

――でも大山さんて、あの裸踊りの西郷従道と仲がいいんでしょう？――

――そうね。従兄弟（いとこ）だけれど、兄弟よりも仲がいいみたい。私にプロポーズしたのは大山本人だけれど、山川の家に縁談を持ってきてくれたのは、西郷従道さんなの――

梅は眉をひそめた。

――あの裸踊りの人が仲人（なこうど）？――

――梅は嫌うけれど、従道さんも、とてもいい人なのよ――

いよいよ不愉快で話題を変えた。

――それで相手は何歳？　初婚なの？　まさか子供はいないでしょうね――

つい口調がきつくなる。

――私より十七上の四十歳で、再婚よ。前の夫人とは死に別れ。子供は娘ばかり三人――

――子供たちは、いくつなの？――

――長女が七歳で、末子は赤ちゃんよ――

――赤ちゃんがいるのなら、先妻が亡くなって、まだ間もないっていうこと？――

――末子の時の産後の肥立ちが悪くて、亡くなったんですって――

――いつ亡くなったの？――

――去年の八月――

梅は聞き返した。

――じゃあ、亡くなって一年も経っていないってこと？――

――そうね――

——そんなに早く、よく再婚なんかできるものね。よほど母親役が欲しいのね——

梅は繋の時のように、むやみに反対はすまいとは思うものの、どうしても納得がいかない。ついに本音が口から出た。

——似合わないわ。いくら新政府の重鎮だからって、ヴァッサー出の才媛が結婚する相手として、ふさわしくない——

——でもね、梅、私の歳じゃ、もう後妻の口しかないのよ。悌だって、お医者さまの後妻になったでしょう——

——じゃあ、結婚しなければいいじゃない。最初から、そのつもりだったんでしょ？——

——私、思い知ったのよ。日本じゃ、誰かの妻にならない限り、何もできないって——

また、つい言葉がきつくなる。

——誰かの妻になって、何ができるっていうの？　先妻の子の世話をさせられるうえに、大山家には娘しかいないから、あなたに跡継ぎを産ませるつもりよ。そうでなけりゃ、あなたを鹿鳴館（ろくめいかん）に連れて行って、自分には、こんな素晴らしい妻がいるって、見せびらかしたいだけでしょう——

この秋、新政府の肝煎りで、日比谷に鹿鳴館が開業する。外国人をもてなし、夜会を開いて、日本の文化度を示すための会館だ。欧米の外交官や貿易商などと、個人的にも親しくなり、幕末に結ばれた不平等条約の改正を目指すという。

条約改正は新政府の念願だ。岩倉使節団が渡米した際にも、伊藤博文や森有礼（ありのり）たちがアメリカ政府と懸命に交渉したものの、改正には至らなかった。そのために今度こそ鹿鳴館外交でと、新政府は張り切っている。

しかし夜会となれば、当然、女性も参加する。上背があってドレスが似合い、英語が堪能な捨松は、引く手あまたに違いなかった。

——梅、勘違いしないでね。跡継ぎを産むのも子育ても、鹿鳴館で外交に協力するのも、私には不本意ではないのよ——

——でも、そんな男と結婚したら、お金や地位が目当てだって、後ろ指をさされるに決まってる。だいいち薩摩人よ。会津の人たちが納得するの？——

——会津では薩摩への恨みは、もう晴れているのよ。西南戦争で会津兵が勝利したから。今も恨んでいる相手は長州だけ——

ふいに捨松は頬をゆるめた。

——それにね、お金や地位が目当てなのは事実よ。私は帰国以来、お金がないせいで、何ひとつできなかったし。それに大山夫人という看板を得れば、世界が広がるわ。新政府高官たちとも堂々と話ができるし、梅が学校を開く時には、支援もしてあげられる——

——そんな支援なんて——

梅は思わず声を張り上げた。

――そんな支援なんて、いっさい欲しくないッ――

肩で息をつきながら、なおも言い募った。

――ヴァッサー女子大出身の山川捨松が校長だからこそ、生徒が集まるのよ。アメリカの女学校しか出てない私に、何ができるっていうの？――

――梅、自信を持ちなさい。アメリカの女学校を卒業したことは、充分な誇りよ――

――違う。違うわ――

声が潤み始めた。

――私は、あなたの足元にも及ばない――

それは捨松の卒業式に出席して以来、漠然と抱いてきた思いだった。それが自分でも驚くほど、大きな劣等感になっている。

しかし捨松は冷ややかに言う。

――日本人にとっては、ヴァッサーの成績なんか、何の意味もないのよ。大学を出ようと、女学校を出ようと、十一年間、アメリカに留学しただけのこと。だから梅は、そんな引け目を感じなくていいのよ――

梅には返す言葉がない。それでいて納得もできなかった。

梅は幼い妹たちとは、なんとか日本語で話せるようになった。妹たちは洋服姿の梅に、ようやく慣れてくれたし、そうなると可愛くてならない。それに子供相手だと、尊敬語も謙譲語も要らず、気が楽だった。

　津田家に時々やって来ては、妹たちと遊ぶ十歳くらいの男の子がいた。日本では幼い頃から、男女の遊びが違うので、きょうだいでも、あまり一緒には遊ばないと聞いていたが、この子だけは女の子たちと仲がいい。

　親戚の子かと思い、梅は話しかけてみた。

「あなたの名前は、何ですか」

　どうしても発音が日本人のようにはいかず、男児はきまり悪そうに返事をしない。すると梅よりも九歳下の婦貴（ふき）が、代わりに答えた。

「この子はね、金子四郎（かねこしろう）っていうの」

「四郎ですね。歳は、いくつですか？」

　すると今度は四郎自身が答えた。

「十歳です」

「婦貴と同じですね。うちの親戚の子ですか」

　すると四郎は首を傾げて、また黙ってしまった。梅は質問を変えた。

「あなたの、お父さんは、何をしていますか？」

　今度は、はっきりと答えた。

「お父さんは、ここの農場をやっています」

農場の手伝いの子供かと合点した。すると婦貴が、かたわらから口を挟んだ。

「この子は弟なの」

「誰の、弟?」

「私のよ。養子に出たの」

なるほど養子に出された男児というのは、この子だったのかと、また合点がいった。婦貴と同じ年ということは、双子に違いなかった。だが双子という日本語がわからない。

「四郎は、あなたのツイン・ブラザー?」

英語を交えて聞くと、今度は婦貴が理解できず、確かめられない。

梅が留学する直前にも、初は男児の双子を産んだ。しかし小さく生まれついて、片方は育たず、もう片方も早世したと聞いている。

その後に、また双子を授かったのなら、さぞかし母は苦労したのだろうと気づかい、その後、初に英語で聞いてみた。

——婦貴と四郎は双子で、育てるのが大変だったでしょう?——

すると初は急に慌てて言った。

「ごめんなさい。何を言っているのか、私には難しくて」

そそくさと離れていく。

梅は何か妙な気がして、今度は姉の琴にたずねた。

――婦貴と四郎は双子よね？――

すると琴は表情を堅くした。いよいよ妙な感じで、もういちど聞いた。

――何か、あるの？――

琴は少し考え込んでから、思い切ったように言った。

――いつか話さなきゃならないとは思っていたけれど、四郎はね――

また少しためらってから、言葉を続けた。

――前に家にいた女の奉公人が、産んだ子なの――

梅は意味が呑み込めなかった。

――でも婦貴が、自分の弟だって言ってたわよ――

言い終えた途端に気づいた。四郎の父親は仙だが、母親は初ではないのだと。クリスチャンの父には、あるまじきことであり、とてつもない衝撃だった。

声のふるえを、かろうじて抑えてつぶやいた。

――あの子、十歳って言ってたけど――

――そうね。十年前、父上がウィーンの万博に出かけている間に、その人のお腹が大きくなって、帰国してから生まれたの――

信じがたい事実が、後から後から判明する。

——それで、養子に出したのね。四郎の母親は、それから、どうしたの？——

——よく知らないけれど、相応のお金を渡して実家に帰したか、うちで嫁ぎ先を世話したか。いずれにせよ、お嫁に行ったのだと思うわ——

——それで、四郎は——

混乱して、何を聞いていいのかさえ、わからない。すると琴は、あっさりと言った。

——四郎は金子の家で育てたのよ。母親の実家——

——そんな。母親と、生まれた子供とを引き裂くなんて、そんなひどいこと——

——子連れで、お嫁にいっても、嫁ぎ先で可愛がられないでしょうし——

——でも、でも——

——今でも妻妾（さいしょう）同居の家があるとは聞くけれど。でも、うちでは、そんなことはできないし。その人だって子供がいては、新しい人生に踏み出せないし。そうするしかなかったのだと思うわ——

梅は両手で顔をおおった。今の今まで盤石（ばんじゃく）だった父への尊敬の念が、思いもよらなかったことで、あっけなく崩れていく。

——梅、こういうことは日本では、よくあるのよ。アメリカでは、とてつもなく不道徳で、けっして許されないでしょうけれど——

——日本では許されるっていうの？　母上も許しているとでも？——

——そうね——

琴は言いよどみながらも続けた。

——とにかく生まれてしまったのだから、受け入れるしかないでしょう——

梅は琴自身、この件を受け入れているのだと感じた。

すぐさま家中を走りまわって母を探した。すると初は縁側に針箱を置いて、妹たちの着物の肩上げを直していた。

梅は駆け寄って、縁側に両手をつき、日本語で聞いた。

「四郎のこと、聞きました。母上は父上を許しますか」

すると初は針を針刺しに戻して、深い溜息をついた。そして思いがけないほど、きっぱりと言い切った。

「四郎は私の子で、金子という家に養子に出したのです。それだけのことですよ」

「それは嘘です」

「嘘ではありません。うちで生まれた子は、私が母親です。それが日本のやり方です」

梅は、とてつもない違和感を覚えた。初は心痛を隠している。それに子供と引き裂かれて、ほかの家に嫁がされた、その母親も哀れだ。

父は身勝手なふるまいにより、ふたりの女たちに哀しみを強いたのだ。それどころか四郎は婚外子（こんがいし）という烙印（らくいん）を、生涯、背負って生きていかなければならない。

津田家は正しいクリスチャンの家だと信じてきた。また、それが梅の誇りだった。だが何もかもが虚構だったような気がした。

ホルブルックの言葉がよみがえる。

——とかく未開の女性は男性に虐(しいた)げられています。彼女たちを文明化し、目を見開かせるのが、私たちの仕事です——

それは屈辱的な指摘ながら、けっして否定はできないのだと、梅は思い知った。

七　仙の憤り

秋になると、仙のもとには、西洋式の祝宴や夜会の招待が相次いだ。

まず手始めとして、十一月三日に天皇誕生日の祝賀会が、外務卿官邸で開かれる。鹿鳴館の開館が近いために、その予行演習の意味があるらしい。

その五日後には大山巌（いわお）の屋敷で、捨松との内輪の結婚式が予定されている。

十一月末には、いよいよ鹿鳴館が開館に至り、その祝賀会が大々的に催される。

さらに十二月十二日になると、大山巌と捨松の結婚披露宴が、これまた鹿鳴館で開かれる。招待客は千人を超える規模だという。

どの招待状も仙と梅の父娘宛に届く。洋式のパーティは基本的に男女で出かけるものだが、梅にはエスコートしてくれる若い異性などいない。

しかし、ここのところ梅の機嫌が悪い。繁や捨松に先を越されて、落ち込んでいるのかと思い、仙は娘を、あえて厳しくたしなめた。

——それほど友達の結婚がねたましいか——

だが梅は射るような視線を投げつけて、はき捨てるように言った。

——ねたましくなどありません——

——ならば何が気に入らない？——

梅は何か言いかけて、また黙り込んでしまう。

——言えないようなことなら、とにかく気持ちを切り替えなさい。今のおまえの態度は親に対するものではないぞ——

だが梅は、なおも不満そうに黙り込む。

仙は妻に水を向けた。

「梅は何が不満なのだ？」

初は目を伏せて言う。

「若い娘ですから、何かと気になることが、あるのでしょうよ」

「好きな男でもいるのか」

「さあ、どうなんでしょうね」

何か隠しているような気もしたが、しいて問いただすほどのこともないかと、放っておくことにした。

ともあれ天皇誕生日の祝賀会には、梅を伴って出かけた。外務卿官邸には、仙の知り合いの外国人が何人も来ていた。

外国公館でも貿易商でもいいから、梅に何か仕事をさせたくて、片端から紹介した。

――娘の梅です。アメリカに十年以上、留学して、今、仕事を探しています――

梅が挨拶すると、たいがいの欧米人は目を丸くする。

――これほど英語が上手な日本女性は初めてだ。ぜひとも、うちで働いてもらいたい――

梅は、すぐに乗り気になった。

――どんな仕事でしょう――

――通訳だ。君なら簡単だろう――

とたんに仙も梅も肩を落とす。

――通訳は無理なのです。日本語ができないので――

そんなやり取りを繰り返すうちに、大礼服姿の小柄な日本人が、梅に英語で話しかけてきた。

――私が誰か、わかるかね？――

梅は怪訝(けげん)そうな顔をしている。服装からして大物らしいが、仙にも心当たりはない。

――覚えていなくても無理はない。岩倉使節団で会った時には、まだ君は、このくらいだった――

男は自分の腹の辺りに手を当てた。とたんに梅が目を見開いた。

——もしかして、あの漬物をくださった方？——

——ああ、君たちに味噌漬けを分けたかもしれんな。今でも洋行する時には、持っていくことにしているからな——

梅が仙に紹介した。

——伊藤さんです。アメリカに行く船の中で、とても親切にしてくださって——

岩倉使節団の伊藤といえば、今や新政府の中心人物である伊藤博文に違いなかった。仙は恐縮した。

「これは失礼しました。梅の父親の津田仙と申します。麻布で農学校を開いております」

「ああ、学農社だね。評判は聞いている。なかなかいい仕事をしているらしいね」

それから、また英語に戻って、ひとしきりアメリカでの話に花が咲いた。梅は仕事が見つからないので、どこかで家庭教師の口でもあったら、紹介して欲しいと伝えた。

すると伊藤は人混みの中から、ひとりの女性を見つけて、仙と梅に引き合わせた。

「天下一の才色兼備、下田歌子（しもだうたこ）女史だ」

仙も名前は知っている。見たところ三十歳前後で、瓜実顔（うりざねがお）の古典的な美人だ。

和漢の学問に通じており、特に和歌には優れた才能を発揮し、女官（にょかん）として宮中に出仕して、皇后の指導にも当たっていると評判だった。その一方、自邸で桃夭女塾（とうようじょじゅく）という私塾を開き、古典文学や礼儀作法などを教えているとも聞く。

新政府高官の夫人たちは、もともと夫が下級武士であり、また幕末の混乱期ということもあって、花柳界の出身が少なくない。そのため上流夫人としての教養を身につけようと、こぞって桃夭女塾に通っているという。

伊藤は特に恥じる様子もなく話す。

「うちの家内や娘も、桃夭女塾の世話になっている。ただ、いつまでも私塾ではなく、名家の令嬢のために、きちんとした学校が欲しい。いわば華族女学校だが、下田先生には、その校長になってもらいたいと思っている」

仙は内心、これだと思った。下田歌子には英学の素養はない。そこに梅が活躍できる余地があるはずで、思い切って申し出た。

「もし華族女学校で、英語や洋式の作法などを教える予定がありましたら、ぜひ、うちの娘に、お声がけください」

すると伊藤も下田歌子も、悪くない反応だった。


その日は、それだけで別れたが、数日後に伊藤から、仙に屋敷を訪ねるようにと連絡が入った。きっと華族女学校の教官として、梅を迎えたいという話に違いなかった。

ただし梅に期待させて、もし駄目だったりしたらかわいそうなので、仙ひとりで出かけた。

伊藤邸は品川の高台の御殿山にあった。豪邸街で、繁の兄である三井物産社長の邸宅にも近い。

伊藤邸の敷地内には、日本家屋と洋館とが別棟で建っていた。洋館に案内されると、伊藤博文が夫人と令嬢とともに待っており、夫人が如才(じょさい)なく話しかけてきた。

「よく、おいでくださいました。伊藤の家内で梅子と申します。おたくのお嬢さまと、同じ名前でございましょう」

もともと女性の名前は一文字だったが、ここのところ公家風に「子」をつけるのが流行している。

梅子は細面で目が大きく、鼻筋の通った華やかな美人だった。長州は下関(しものせき)の売れっ子芸者だったことは、誰もが知るところだ。

娘は生子(いくこ)といって十六歳だという。こちらはおとなしそうな娘だった。

ひとしきり挨拶が終わると、伊藤はソファから身を乗り出して言った。

「この間の家庭教師の件だが、うちで頼みたい」

華族女学校の話ではなかったのかと、仙は一瞬で失望した。それでも気を取り直して聞いた。

「お嬢さんに英語を?」

「いや、妻にも教えてもらいたい。英語だけでなく、洋式の立ちふるまいや礼儀作法、それとダンスも今すぐ身につけさせたい。鹿鳴館で恥をかかないように」

かたわらから梅子が言葉を添える。

「私と娘のために、ドレスの選び方なども、教えていただければと存じます」

また伊藤が言った。

「いずれ華族女学校ができたら、教授として迎えよう。それまでのつなぎの意味もある」

仙は夫妻を交互に見て聞いた。

「まともな日本語ができませんが、それでも、かまいませんか」

伊藤は目の前で片手を振った。

「かまわん、かまわん。だいいち、そんなことは先日、会った時から承知している」

仙は安堵(あんど)した。小さな仕事ではあるものの、いずれ華族女学校の教授につながるのだから、文句はない。

「ならば、週に何日か通ってくれれば、よろしいでしょうか」

「いや、住み込みで頼みたい。立ちふるまいは、つきっきりで指導してもらわなければ、おそらくは身につくまい」

仙は思わず眉をひそめた。ほかの屋敷ならまだしも、ここでの住み込みとなると問題だった。伊藤博文といえば女癖の悪さで知られており、娘を預けるわけにはいかない。

するとと察しのいい梅子が言った。

「主人は、あちらの母屋で暮らしておりますが、お嬢さんが来てくださるのなら、私と娘と三人で、こちらの洋館で寝泊まりし、何もかも西洋式に致したいと存じます」

洋館に出入りさせるのは女の奉公人だけにして、けっして間違いのないようにすると約束した。

それでも仙は承諾できない。

「通いという話でしたら、喜んでお引き受けしますが、娘の住み込み奉公は、まったく考えておりませんでしたので」

すると伊藤が気軽な調子で言った。

「ならば奉公ではなく客分待遇で迎えよう。給金も、そちらの望む通りでけっこう」

あまりの好条件で、仙は困ってしまったが、とにかく言い訳をした。

「まずは家内と本人に確認してみます。家を出るかどうか、その点が、どうも」

心中では、とうてい梅には話せないと思いつつ、伊藤邸を後にした。

もともと伊藤博文は長州藩の足軽の子だった。それが藩内で頭角を現し、留学生としてロンドンに渡った。

さらにイギリスで得た知識をもとに、明治維新以降は新政府で工業分野の進歩に尽力した。鉄道や電信を開通させ、工場に蒸気機関を導入した。それが認められて工部卿の地位にまで駆け上がったのだ。

夫人の梅子は芸者だったとはいえ、西洋人との交際には如才のなさが生きる。そのうえに洋式マナーなどを身につければ、鹿鳴館で伊藤を強力に支えられるのは疑いない。

だが伊藤の女癖の悪さは、あの女房だから収まっているとも噂されている。夫の浮気を、死ぬまで収まらないものとして割り切っているのだ。

そんな梅子に、いくら間違いがないようにすると約束されても、仙としては、すんなり受け取るわけにはいかない。伊藤が住み込みにこだわる点も、下心があるのではと勘ぐりたくなる。

どうやって断ろうかと思案しているうちに、数日が経ってしまった。

書斎で農学校の資料を整理していると、梅が、いつにも増して不満顔で現れた。

——父上、伊藤さまから、家庭教師の話がありませんでしたか——

仙は手を止めて聞き返した。

——誰から聞いた？——

——繁からです。御殿山のお兄さまの屋敷に行った時に、伊藤さまのお嬢さんと会ったそうです。彼女は、私から英語や洋式のマナーを習えると、嬉しそうに話していたそうですが、それは本当ですか——

仙は観念して答えた。

——確かに話はあった。だが住み込みという条件なので、おまえには向かない。明日にでも断りに行こうと思っていた――

梅の顔色が変わった。

――なぜ私に向かないのですか。欧米では家庭教師は住み込みが当然です――

――ここは日本だ。おまえが教師なのだから、本来は向こうから通ってくるのが筋だ。そうでなければ、おまえが、うちから通って教えるのならいい――

――納得がいきません。洋式のマナーや英語を教えるのに、日本の理屈など関わりありません。だいいち華族女学校の教授の話が前提なのでしょう？　これほど、いい話を逃すわけにはいきません――

仙は溜息をついた。こういった主張の仕方は、もはやアメリカ人同然だった。ここは正直に話すしかない。

――梅、よく聞け。伊藤博文は女関係で、とても評判が悪い。そんな男の屋敷に、おまえを住まわせるわけにはいかんのだ――

すると梅は眉をひそめた。

――何を言っているのですか。私は教えに行く立場です。そんなふしだらなことは、関わりないでしょう？――

――それが関わりあるんだ。あいつは若い女と見れば、手当たり次第と有名だ――

今度は梅は、ふっくらした頬を、片方だけ引きつらせて笑った。

——それは綺麗な女の人の話でしょう。私みたいに背が低くて、小太りで、地味な女になんか、誰も見向きもしません。だから平気です——

——おまえは小太りでも地味でもない。なぜ、そんなに自分を卑下するんだ？——

——以前、父上は言いました。梅はアメリカに行く前には、やせっぽちな娘だったけれど、すっかり肉付きよくなって帰国したと——

——いつ私が、そんなことを言った？——

——忘れたのですね。初めて海岸女学校に行った時です——

——そうか。言った覚えはないが、どこが悪いのだ？　やせっぽちよりも肉付きがいい方が、いいに決まっている——

——綺麗な女性は、みんな細身です。捨松だって、亮だって——

仙は無性に腹が立ってきた。

——それが何だというのだ？　たとえ男女の間違いがなかったとしても、伊藤博文の屋敷で暮らすというだけで、世間からは色眼鏡で見られる。私は、それを案じているのだ——

——だから私みたいな女には、そんな色眼鏡は無縁です。余計な心配はしないでください——

しだいに梅の声が高まる。

——とにかく私の就職を邪魔しないでください。もう自分のことは自分で決める歳です——

——そんなことは許さん。おまえは親に従うべき立場だ。あんな女たらしの家に、おまえを預けるわけにはいかない。奉公に入った娘を、家の主人が手込めにするなど、いくらでもある話なのだぞ――

また梅は片頬で笑った。

――奉公に入った娘を手込めにするって、父上が、そんなことを非難できる立場ですか――

仙は意味が呑み込めずに聞いた。

――どういうことだ？――

すると梅は、冷ややかに言い放った。

――私は知っているのですよ。四郎のことを――

思わず、ぎょっと身構えた。梅は興奮を抑えた様子で、なおも言い募る。

――四郎を産んだのは、この家に奉公に来ていた女性だそうですね。子供まで産ませておいて、他人のことを言える立場ですか――

梅の言葉が潤み始める。

――私は、私は、父上を尊敬していました。進歩的な家の娘であることが、何よりの誇りでした。なのに父上が、そんなことをしようとは――

いよいよ涙声になっていく。

――しばらく前に、そのことを知って、幻滅しました。でも黙っているつもりでした。今さら父上を罵倒したところで、何も変わらないから――

そして叫ぶように言った。

――でも自分のことは棚上げで、他人のことを非難するのは許せませんッ――

仙は何ひとつ言い返せない。

梅は手のひらで乱暴に目元をぬぐった。

――私は本当は、アメリカなんか行きたくなかった。遠い知らない国に行くのが怖かった。怖くてたまらなかった。それでも父上のためと思って、我慢して船に乗ったんです。向こうでだって、つらいことを山ほど我慢してきたんです。立派になって帰ったら、父上が喜んでくれると信じて。それで頑張り通して帰ってきてみたら、こんなことって、こんなことって――

もはや涙で後が続かない。

仙は、ここしばらく続いていた娘の不機嫌の理由に、ようやく気づいた。誰かから四郎のことを聞いて、父親を許しがたかったのだ。

思い返せば、仙が四郎の母親に手をつけたのは、ウィーン万博に出かける直前だった。久しぶりの大仕事で舞い上がっていた時に、ふいに魔が差したとしか言えない。

帰国後に四郎が生まれた。その後、深く悔い改め、それがきっかけで洗礼を受けて、クリスチャンになったのだ。

だが、そんなことは言い訳にもならない。黙り込んでいると、また梅が口を開いた。

――とにかく捨松の結婚式がすんだら、私は、この家を出て、伊藤さまの屋敷に移ります。

日曜日には教会に行くので、毎週、帰ってくるつもりですが、とにかく父上には引き止める権利はありません——

そしてきびすを返すと、早足で自分の部屋に引き上げていった。

以来、梅との会話は、ほとんどなくなった。しかし、すでに招待を受けているパーティには、一緒に出かけないわけにはいかない。

捨松と大山巌の結婚は、十二月に鹿鳴館が開館してから、改めて大々的に披露する。そのため十一月八日の式は、ごく身内だけの集まりだったが、これにも仙と梅はふたりで招かれた。

おそらく捨松側の親戚には、薩摩人との結婚を嫌って出席する者がおらず、そのために人数合わせで呼ばれたのだろうと、仙は思い込んでいた。

だが出かけてみて驚いた。大山側の親戚も、西郷従道など、ごくわずかだったのだ。

その理由は、六年前に鹿児島で起きた西南戦争にあった。新政府軍と西郷隆盛が率いる薩摩軍による内乱だった。しかし大山巌は西郷隆盛の従兄弟であり、また従道は実の弟にも関わらず、両人とも薩摩軍には加担せずに、新政府側に留まった。

結果は薩摩軍の敗北だったが、西郷隆盛は負けてなお人気が絶大であり、敵対した大山巌も従道も、国元から白い目を向けられてしまったのだ。

そのために結婚式だからといって、わざわざ東京にまで出てきて祝おうという親戚など、いないらしい。

ましてや薩摩軍を打ち負かしたのが、山川浩が率いた会津兵だとされている。その妹との結婚などとんでもないと、その点でも反感を招いたに違いなかった。

山川家では、捨松が大山巌と結婚すると言い出した当初は、猛反対したものの、結局は許した。

長兄の浩は仙に打ち明けた。

「西南戦争で会津の者が勝利したのは、ごく限られた戦場なのに、大袈裟(おおげさ)に喧伝(けんでん)されて、私自身は居心地の悪い思いをしています」

次兄である健次郎も複雑な表情だった。

「会津戦争で負けた後、私は長州藩士の書生になって、教育を受けた時期があります。その後で、アメリカ留学の機会をつかんだのです。だから今さら薩摩だ長州だと、背を向ける気はないのですが、会津の国元では、捨松の結婚への風当たりが強いのです」

それでも本人同士の意志は固く、結婚に至ったのだった。

挙式当日、花嫁は純白のウェディングドレス姿で、旧来通り三三九度(さんさんくど)で盃(さかずき)を交わし、その後、座敷で銘々膳での祝宴となった。

宴席には先妻の遺児たちも姿を見せた。長女が七歳で、末子は乳母(うば)がついており、まだ乳飲み子だった。

仙は密かに溜息をついた。この子たちの母親役になるために、捨松は十一年も留学したのではなかろうと、つい思ってしまう。

やはり梅の不機嫌の理由は、四郎のことだけでなく、ここにもありそうな気がした。

十一月下旬、梅はアメリカから持ち帰った大型の革鞄に、洋服や靴や身のまわりの愛用品を詰め込んでから、仙と初に挨拶した。

――お世話になりました。今日から伊藤さまの屋敷に移ります。アメリカで頑張ったように頑張れば、自活の道が開くと思いますので、心配はしないでください。それと最後に――

玄関の方に目をやった。

――荷物があるので、人力車(じんりきしゃ)を頼みました。その支払だけは、お願いします――

娘の他人行儀な言い方に、本当に出ていくのだなと、仙は心が痛んだ。

初が情けなさそうに聞く。

「どうしても通いでは駄目なのですか。梅と会えなくなるわけでは、ありませんよね」

梅は母親には日本語で言った。

「日曜日は教会、行きます。だから大丈夫」

初は娘の覚悟を、なかば理解した。

「何かあったら、すぐに帰ってきなさい。ここが、あなたの家なのだから」

すると梅は笑顔を見せた。

「大丈夫。大丈夫」

梅は農場の男衆の手を借りて、大きな革鞄を人力車に積み込み、その横に腰かけた。

そして見送りに出てきた家族に向かって、別れの言葉を口にした。

「さよなら」

琴が妹をたしなめた。

「梅、こういう時には、さようならじゃなくて、行ってきますと言うのよ」

すると梅は、きちんと言い直した。

「わかりました。行ってきます」

そうして人力車は動き出した。

黒い車体が回転して背を向ける瞬間、黒い幌越しに、娘の端整な横顔が見えた。切れ長の目に鼻筋が通り、古典的な顔立ちだ。親の欲目を割り引いても、充分に美しい。どうして本人が、あれほど卑下するのだろうと、仙は不思議に思うほどだ。

車夫が走り出し、軽やかな車輪の音と土埃（つちぼこり）をかき立てて、たちまち人力車が遠のいていく。

ついこの間まで、思ってもみなかった展開だった。

仙は娘の言葉をかみしめた。

——私は本当は、アメリカなんか行きたくなかった。遠い知らない国に行くのが怖かった。

怖くてたまらなかった。それでも父上のためと思って、我慢して船に乗ったんです。向こうでだって、つらいことを山ほど我慢してきたんです。立派になって帰ったら、父上が喜んでくれると信じて——

そんな気持ちなど考えたこともなかった。男親は身勝手で鈍感だと、痛感せざるを得ない。一緒に暮らしたのは六歳までと、この一年間だけだ。まして幼い頃には、仙が単身で新潟に赴任したり、長崎に潜伏したりして、離れていた時期も短くはない。

ようやく去年、手元に戻ってきて、喜んだのも束の間で、また羽ばたいていってしまった。それも父親の望まぬ方向に。

仙は初めて悔いた。梅を留学させたことが、はたしてよかったのかと。あの時、周囲が猛反対した通り、普通の人生を送らせるべきだったかと。

十一月二十八日、鹿鳴館の開館祝賀会には、梅は伊藤家の人々と一緒に行くと連絡してきた。そのため仙は現地で落ち合うことにして、ひとりで出かけた。

日比谷の鹿鳴館の敷地は、かつて薩摩藩邸があった一角だ。かつて、そこには装束屋敷と呼ばれる建物があり、特に琉球からの使節団のために用いられた。

琉球使節団は外交使節として、将軍と琉球王、両方の代替わりのたびに江戸までやってきた。その案内や世話をしたのが、もっとも琉球に近い薩摩藩だったのだ。

将軍謁見のために江戸城に入る前に、使節団は薩摩藩邸で茶菓の饗応を受け、衣装を改めた。そのために装束屋敷と呼んだのだ。

いわば外国の使節をもてなす場だった。それが今度は欧米人を、夜会でもてなす鹿鳴館に変わったのだ。

鹿鳴館の建物は、仙の目には少し奇妙に映った。設計はイギリス人の建築家で、木造二階建ての洋館ではあるものの、全体の印象はヨーロッパ風ではなく、アメリカ風でもない。

屋根にドームがあり、どことなくイスラムの雰囲気もある。アジア風を意識した結果らしい。前庭には枝ぶりのいい松の木や、石灯籠が配されているが、日本庭園とも違った。

そこに人力車や馬車が、引きも切らずにやって来ては、招待客が続々と玄関に入っていく。仙も車寄せで人力車から下りたが、玄関の中は人でいっぱいで、小柄な梅など見つけられそうにない。

西洋人も多いが、初めてドレスを着込んだような日本女性も目立つ。似合っている者はいない。着物なら隠れる貧弱な体つきが、ドレスになると、あからさまになってしまう。

仙は、こんなところにも食物の違いが出るのだと痛感した。これでは日本の文化度を示すどころか、西洋人から馬鹿にされるのは明白だった。

二階の舞踏室に行ってみると、大混雑の中、一隅に楽隊が陣取っていた。西洋人と日本人の混成で、繁がひとりひとりに指示を出し、楽隊を取り仕切っている。

繁は瓜生外吉との結婚後も、ピアノや音楽の指導を続けている。仙には、それが羨ましかった。梅にも何か専門性を身につけさせるべきだったかとも思う。

今から仙が娘に教えられるとしたら農学だ。日本の農家は女たちも働く。梅が、そんな女たちの指導者になれないかと、ふと思いついた。

しかし、すぐに諦めた。自分は娘からの尊敬を失った。今の梅が、こんな父の教えなど素直に受けるはずがない。

それに今や農学校が危機を迎えていた。基本となる缶詰の販売量が、急激に落ちているのだ。

アスパラガスで成功を収めて以来、ほうれん草や人参、トマトなどの缶詰も手がけてきた。大型の缶を使えば、横浜に入港する欧米の軍艦が、大量に買い上げてくれた。長期航海では生野菜が手に入らないために、飛ぶように売れた。

そうして得た利益を、仙は惜しげもなく農学校に注ぎ込んだ。安い学費で優秀な学生を集める一方で、高い給料で優秀な教授陣を揃えたのだ。つまり農学校は、缶詰の売り上げがなければ成り立たない。

しかし、ここに来て売れなくなったのは、香港に対抗会社ができたからだった。中国人たちが学農社を真似て、もっと格安に売り出したのだ。

品質の良さでは自信があるものの、香港に寄港する欧米の軍艦は、安さに惹かれて大量に買い入れる。さらに香港製の缶詰は、横浜にも輸出されてきて、仙の国内市場もおびやかし始めていた。

学農社の事業そのものは、縮小すれば、危機を乗り越えられないことはない。だが農学校を続けられるかどうかが、微妙なところだった。

仙は鹿鳴館のざわめきの中で、そんなことを考えながら、ぼんやりと立ち尽くしていた。

すると急に呼びかけられた。

「津田さん」

振り向くと、伊藤博文だった。取り巻きが多い中で、わざわざ仙に声をかけてきたのだ。梅の話に違いなく、この辺りの気配りには、抜かりない男だ。

伊藤は人混みの先を目で示した。

「お嬢さんには、さっそく家内と娘が世話になっていますよ」

そこでは伊藤夫人の梅子と、娘の生子が西洋人の男女に挨拶していた。背後に梅が立って通訳をしている。

伊藤が声を低めた。

「日本の女たちはドレスを着こなすには、まるで姿勢が駄目だ。それを、お嬢さんは、うちの妻や娘に教えてくれている」

そう言われてみると、梅は話しながら、生子の背中に何度も手をあてがう。背中が丸くなりがちなのを正していているらしい。

生子が顎を引いて背筋を伸ばす。するとドレスの違和感が少し消える。日本女性にドレスが似合わないのは、どうやら体型の問題だけではなく、姿勢のせいもあるらしい。

伊藤は少し申し訳なさそうに言う。

「十一年も留学させた挙げ句に、こんなつまらない仕事では、父君としては不本意だろうが、これは日本の印象を改めるために、どうしても必要なことだ。華族女学校でも、やはり、こういったことを教えてもらいたい」

伊藤は女癖の悪ささえなければ、立派な人物だ。間違いなく文明開化や、日本の発展に大きく貢献する。

それは認めつつも、父親としては、娘がもてあそばれまいかという懸念が、どうしても捨てられなかった。

八　梅の決意

梅が伊藤博文の妻子に、英語や西洋式の立ちふるまいを教え始めると、同じような政府高官夫人たちから、「私も」「私も」と希望者が殺到した。

すぐに伊藤の口添えで、梅は下田歌子の桃夭女塾でも教えることになった。麴町一番地にある歌子の屋敷まで、梅は御殿山の伊藤家から人力車で通った。

そもそも華族制度が始まったのは明治の初めだった。かつての公家や大名家が、旧来の身分の代わりに爵位を得たのが最初で、伊藤のような維新の功労者たちが後に続いた。

そういった華族の夫人たちは、かならず鹿鳴館に招かれる。だが挨拶の仕方はもちろん、ドレスや下着の着付けから、化粧、髪型、靴、靴下、小物の合わせ方まで、何ひとつわからない。かといって西洋人の女性に聞くのは恥ずかしい。そこで梅に期待が集まったのだ。

梅は、まず立つことから教えた。姿勢だけでなく、日本の女たちは、すぐに座りたがる。ドレスを着ていながら、鹿鳴館の床に座り込んでしまうのだ。

丸めた背中を壁にもたれかけ、顎を突き出し、さらに悪いことに煙管をふかす。しまいには吸い終わった灰を、板の間の床に捨てて、それを履き慣れない靴で踏み潰す。

　そんな姿が、どれほどみっともなくて、西洋人に軽蔑されるかを、片言の日本語で一生懸命に伝えた。梅が言いよどむと、勘のいい伊藤夫人が、すかさず言葉を添えてくれた。

　下田歌子は部屋の片隅に立って、梅の言葉を、もらさず半紙に書きつけた。そしてレッスンが終わるなり、すぐさま塾生たちに回覧した。

　すると誰もが先を争うようにして書き写す。切羽（せっぱ）詰まっているだけに熱心で、梅としては教えがいがあった。

　さらに歌子は書付を見ながら、梅の日本語を正してくれた。

「さっきのおっしゃり方は、少し乱暴に聞こえますので、お直しあそばせ。気になさりすぎて言葉が出てこなくなると困りましょうが、正しい表現を知っておく方が、よろしいかと」

　ほかに、そんな指摘をしてくれる人はいない。梅は心からありがたく、片端から手帳に書きつけた。

　しかし上流女性たちの「あそばせ」言葉は、普通の尊敬語や謙譲語とは異なっており、いっそう難関だった。

　伊藤家の洋館に帰ってからは、夫人と生子に先んじて教えて、それをもとに桃夭女塾での次のレッスンの準備をした。

夜が更けてからは手帳を取り出し、歌子から指摘された点を、筆で書き直した。これによって正しい日本語を覚えられるし、筆文字の稽古にもなった。

さらに歌子から習字の手本も貰い受け、それを真似て書いた。次に桃夭女塾に行く時には持参して、添削もしてもらった。

こういった努力は、梅はいとわない。むしろ日本語の上達が嬉しい。歌子も絶賛してくれた。

「あなたは本当に努力家です。それは、かならず実を結びますよ」

歌子や伊藤夫人の助けを得て、梅が日本の上流階級の女性たちを啓蒙できるのであれば、それが日本という国のためになり、ひいては留学の恩返しができるはずだった。

もしも捨松のように大学教育を受けていたら、立ち方を教えるなどという幼稚なレッスンは、馬鹿馬鹿しかったかもしれないが、女学校しか出ていない自分には、これでも充分な気がした。

華族女学校開校の話も、文部省との間で順調に進んでいる。桃夭女塾も悪くはないものの、きちんとした学校で、若い生徒たちに英語や生き方を教える日を、梅は心待ちにした。

伊藤邸の洋館に住み込んで、四ヶ月が経った春の夜のことだった。

いつものように梅は遅くまで、習字に根を詰めていた。すると門の方で、馬車の音がした。

伊藤博文が帰宅したらしい。伊藤の帰りが深夜になるのは、珍しいことではない。

ただ、いつもなら馬車は、和室の母屋の方に向かうのに、洋館前の車寄せで停まる気配がした。

そして驚くような大声が聞こえた。男のわめき散らす声だ。さらに女たちの嬌声(きょうせい)も続く。争っている風ではなく、大笑いしている。

梅は何事かと、筆を置いて立ち上がった。その時、廊下を小走りに進む足音が響いた。真鍮(しんちゅう)のドアノブをまわして自室の扉を開けると、寝間着に羽織(はおり)を引っ掛けた伊藤夫人が、玄関に向かって走っていく背中が見えた。

次の瞬間、洋館の玄関扉が大きな音を立てて開き、また男の大声が聞こえた。

「おおい、ご主人さまの、おかえりだぞォ」

紛(まぎ)れもなく伊藤博文の声だった。かなり泥酔しているらしく、ろれつがまわらない。

梅子が小声で何か諭している。どうやら母屋に行くように仕向けているらしい。だが伊藤は怒鳴り散らす。

「この芸者たちに、俺の立派な洋館を見せるのだ。邪魔立てするな」

女たちも酔っているらしく、手を打って大笑いを続ける。

さらに伊藤は突然、英語で叫んだ。

——私は日本で最初の内閣総理大臣になる。伊藤博文の偉大な名前を、歴史に刻むのだ。日本で最初の総理大臣は、英語くらいできなければ駄目だ。私こそがふさわしい――

明治維新以降、新政府は太政官制をとってきた。飛鳥時代に始まった日本の政治形態に戻したのだ。だが、もっと欧米的な新体制を目指して、近く内閣制度が始まる。

今までは各省庁の頂点は、内務卿、工部卿、陸軍卿など「卿」という役職だったが、これからは内務大臣、陸軍大臣など、すべて「大臣」に代わり、それぞれの独立性が高まる。

その頂点に立つのが総理大臣で、今のところ候補は、公家出身の三条実美と目されている。だが伊藤博文を推す声もある。

もともと伊藤は身分が低かったために、三条に及ばないとみなされている。そのうえ長州出身の伊藤が総理になると、薩摩藩閥との均衡がくずれる。そんな理由もあって反対意見が根強かった。

それにしても梅は、これほど伊藤が野心家だったとは驚くばかりだ。それも、わざわざ英語でわめき散らすとは、酔っていないながらも、梅の耳を意識してのことに違いなかった。

なおも玄関の騒ぎは続いている。梅子が夫と若い女たちを、なんとかして母屋に連れて行こうとしている。

女たちが伊藤に媚びる嬌声が聞こえる。一方、伊藤は、すっかり鼻の下が伸び切っている様子だ。

だが急に玄関が静かになった。とうとう梅子が言いくるめて外に連れ出し、母屋に向かったらしい。

　あれほど伊藤が泥酔するとは信じがたかったし、これから母屋で彼らが何をするつもりかは、どんなに初心な梅でも予想がつく。妻の前で言語道断のふるまいだ。

　父の言葉が、耳の奥でよみがえる。

　――伊藤博文は女関係で、とても評判が悪い。そんな男の屋敷に、おまえを住まわせるわけにはいかんのだ。あいつは若い女と見れば、手当たり次第と有名だ――

　あれは事実だったのかと愕然とする。日本の男たちは、どこまで梅を落胆させるのか。

　言いようのない腹立ちを抱いたまま、自室の扉を閉めようとした時、玄関とは逆方向の廊下に、生子が立っているのに気づいた。薄暗がりの中でも、硬い表情が見て取れる。

　梅は足早に駆け寄って、自分よりも三歳下の生子の肩を抱き寄せた。何と言って慰めるべきかが、わからなかった。

　しかし生子は首を横に振って、投げやりに言った。

「いつものことなんです。お父さまが、ああやって下賤な女たちを連れてくるのは。翌日は女たちは昼過ぎまで寝てて」

　梅が理解しやすいようにと、ゆっくり話す。

「お母さまは、大きな仕事をしている男の人は、羽目を外すのも必要だと言うけれど、私は津田先生の手前、恥ずかしい。あんなお父さまの姿を見られてしまって、娘として恥ずかしくてたまらないんです」

　生子は声を潤ませた。

「お母さまは、それは男の人の性なのだから、女が不満を持ったら不幸なだけだって。それを認めてこそ、女の幸せがあるんだって、そうおっしゃるの」

　梅は首を横に振った。

「それは違う。それは間違っています」

　どう間違っているのか、理由を伝えようと、懸命に日本語を探した。だが言葉が出てくる前に、玄関の扉が開いた。

　梅子がひとりで戻ってきたのだ。そして廊下の奥で寄り添う梅たちに気づいて、わざとらしく笑って言った。

「何でもありませんよ。いつものことなんです。大きな仕事をしているので、たまには羽目を外したくなるのでしょう」

　ついさっき生子が言ったことと、同じ言葉だ。さらに何気ない風を装う。

「こんなこと、どこの家でも、あることですよ。相手は玄人ですし、目くじら立てることじゃありません。これも男の甲斐性なんですから」

　梅子は頭のいい女だ。身近に接していて、梅は、そう実感する。だが、そんな梅子でさえ、夫の浮気を男の甲斐性として受け入れてしまっている。

確かに、どこの家にもあることかもしれない。だからこそ仙にも婚外子がいて、初は、その事実を拒まないのだ。

今の生子は父親のふるまいを恥じる。でも、いずれは慣らされて、母親と同じように男の甲斐性などと口走るに違いない。そうさせたくはない。そうさせないために必要なのは女子教育だ。

梅は帰国してから、日本の女たちの暮らしぶりを知った。上流の女ほど、外出しないことを、よしとする。

買い物は、商店から番頭や手代たちが、客の好みに合いそうな品物を運んできて、その中から選んですます。軽々しく町に出かけるなど、はしたないとみなされてきた。それは江戸の昔から続く慣習だった。

女同士で屋敷の行き来や交流はあるものの、基本的に男の社会に交わることはない。男の仕事の場はもちろん、私的な集まりにも、妻も娘も顔を出さない。

宴席などで華を添えるのは、あくまでも芸者の役目だ。そんな場で、たとえ男女の関わりがあったとしても、誰もが遊びと割り切る。それが男女間の常識だ。

だからこそ伊藤夫人は軽い調子で言うのだ。「相手は玄人ですし、目くじら立てることじゃありません」と。

彼女のように、もともと芸者だった女性が、堂々と上流階級の正妻に収まるのは、幕末維新という激動の時代だからこそであり、普段では、まずありえない。

もし今後も昔と同様に、女たちが家の中に閉じこもって生きていくのなら、従来通りの慣習や常識を続けていけばいい。だが鹿鳴館が始まって、上流の女たちは、すでに屋敷の外に引きずり出されてしまった。

このままでは「相手は玄人だから」で、すまないことが起きかねない。どうしても男女の意識を改めるべき時期が来ていた。

また梅の耳の奥で、ホルブルックの言葉がよみがえる。

——とかく未開の女性は男性に虐（しいた）げられています。彼女たちを文明化し、目を見開かせるのが、私たちの仕事です——

日本独自の男女間の常識は、欧米人には蔑視される。それがために鹿鳴館外交は逆効果になりかねない。このままでは不平等条約の改正など、永遠に不可能だ。

梅は改めて確信した。自分はホルブルックとは違う方法で、やはり日本の女子教育に尽力しようと。それこそが日本のためになり、留学の恩返しができるはずだった。

鹿鳴館の人混みの中で、楽隊の音楽に合わせ、ひと組の男女がワルツを踊っている。日本人同士とは思えないほど優美だ。

それはロンドンから帰国したばかりの森有礼（ありのり）夫妻だった。夫人の常（つね）はバッスルスタイルといって、スカートの腰の部分を高く盛り上げた最新のドレスをまとい、華麗にステップを踏む。

繁が眼鏡の縁を、梅の額につけんばかりに近づけてささやいた。

――森さまが、あんな美人が好みだったとはね。あの頃、私たちになんか目もくれないはずだわ――

森は梅たちの留学中に結婚し、その後、日本公使として長く渡英していた。そのため梅も繁も、常と会うのは初めてだ。

それにしても繁の言い方がおかしくて、梅は思わず吹き出した。

――目もくれないも何も、あの頃の私たちは子供だったじゃないの――

――私たちは子供だったけれど、亮と悌は、充分に結婚できた歳よ。亮なんか綺麗だったけれど、森夫人には及ばないわね――

確かに常は格別の美貌だった。それも捨松のように、きりっとした顔立ちではない。優しげで頼りなげで、まして小柄で、いかにも男性が守ってやりたくなるような雰囲気がある。

繁が眼鏡を持ち上げながら言う。

――あの頃、私は森さまのこと、好きだったんだけどな。梅だって、そうでしょ？――

――まあ、私は特に幼かったから、そう異性として意識したわけじゃないけど、でも優しくしてくれたし、嫌いじゃなかったわ――

――そうでしょ。あの頃の私たちの中で、森さまに好意を持たない人なんか、いなかったと思うわ――

ワシントンDCの公園へ、ランチを持ってピクニックに行った日々は、今も梅の記憶の中に美しく残っている。

ワルツが終わるなり、壁際にいた黒田清隆が、大きな拍手を送った。

「素晴らしい。絵に描いたような夫婦だ。ふたりで西洋人にいい印象を与えて、日本全体の印象を高めてくれ」

黒田の隣には、大山巌と捨松が並んでおり、同じように拍手していた。ダンスを終えた森夫妻が、そちらに近づいていく。今日は黒田主催の森有礼帰国祝賀会だ。

その時、捨松が人垣越しに、梅と繁に向かって小刻みに手招きした。

ここのところ捨松は教会に来なくなった。日曜日は夫が家にいるために外出しにくいというのだ。夫に従うために信仰まで犠牲にしようとは、梅は激しく落胆した。教会で顔を合わせなくなったこともあって、いつしか捨松とは距離ができてしまった。

それでも今は、しきりに合図を送ってくる。話に加われという意味らしい。

梅は繁とうなずき合ってから、足早に人混みをすり抜けて、そちらに向かった。

今も梅は職を探している。伊藤博文の醜態を見てしまって以来、伊藤家を出たくてたまらない。それでいて家庭教師を辞めたら、華族女学校の約束まで白紙に戻されそうで、ぐずぐずと伊藤家に居座り続けていた。

鹿鳴館に出入りしても、なかなか職探しの緒（いとぐち）はみつからない。黒田などの大物には、大勢の取り巻きがいて近づきにくく、頼みごとなどできない。その壁を、捨松が取り払ってくれようとしていた。

梅と繁が近づくと、黒田が笑顔で迎えた。

「おお、ふたりとも元気だったか。紹介しよう。森くんの奥方だ。君たちと同じく、父親は幕臣で、開拓使女学校出の才色兼備だ。英語も堪能だし、ロンドン駐在中はビクトリア女王との謁見で、直々（じきじき）に言葉を賜ったそうだ」

すると常はドレスのスカートを軽くたくし上げ、腰をかがめて西洋風に挨拶した。

「森常でございます。お見知りおきくださいませ」

森が妻に英語で言った。

――このふたりは英語の方が楽だと思う――

すると常は癖のないクイーンズ・イングリッシュで言い直した。

――初めまして。森常です。開拓使女学校の頃、女子留学生は憧れの存在でした。お目にかかれて光栄です――

梅たちも自己紹介すると、黒田が黒い髭に手を当てて自慢げに言う。

「森夫人を出せただけでも、開拓使女学校の存在価値はあったと、私は信じている。こういった世界に通用する女性を、もっと育てたかった」

さらに森を目で示して、一転、残念そうな顔になった。

「できれば、この夫婦には、まだまだ外交で頑張ってもらいたいところだが、森くんは外務省から文部省に転じるそうだ」

冗談めかして続けた。

「どうやら、この先、文部大臣の座をねらっているらしい」

森は苦笑した。

「いや、このまま鹿鳴館外交を続けていても、欧米人には猿真似扱いされて、さほど効果はないでしょう。それよりも教育環境を整えて、日本人の文化意識を高める方が、結局は早道です。だから文部省に移るのです」

梅は驚いた。猿真似とは言い過ぎだが、森の考え方には自分と共通するものがある。

森は捨松から繁、さらに梅と視線を移しながら言った。

──ワシントンＤＣで、君たちの世話をして以来、僕は教育の重要性に気づいた。まずは文部官吏として、華族女学校の開校に力を尽くすつもりだ──

そして梅に視線を据えた。

──君には、そこで英語の教授を務めてもらおう──

梅は遠慮がちに聞き返した。

──きちんとした日本語が使えませんが、それでもかまいませんか──

——もちろん。そもそも英語は英語で教えるものだ——

かつて森は明治維新を機に、日本の国語を英語にしようと主張したことがあった。西洋の文化や思想を取り入れるためには、そうする方が手っ取り早いと考えたのだ。

さすがに反対意見が強くて、実現はしなかったものの、今も英語教育には、日本語など不要とみなしているらしい。

森は、さらに驚くべきことを言った。

——もしも君たちが先々、独自の女学校を作る気なら、僕は文部省から後押ししよう——

捨松と繁が同時に声を上ずらせた。

——本当ですか——

——本当だ。女子留学の成果を見せてもらいたい。女学校と言わず、女子大学でもいい。津田女子大だな——

梅はたじろいだ。

——そんな、とんでもない——

——おや、妙に控えめだね。アメリカの大学は、創設者の名前を冠することが多い。ヴァッサーも、そのひとつだ。ぜひ津田女子大を創って欲しい——

——でも私なんか、大学も出ていないし——

——遠慮深いのは日本人の悪い癖だ。私はワシントンＤＣで、君たちの世話をしていた時に、いちばん君を見込んでいた。この少女は将来、大きなことをしそうだと――

森は捨松に視線を戻した。

――津田女子大の事務局長は、大山夫人に頼みたい――

捨松は余裕の表情で答えた。

――もちろん、そのつもりです――

かたわらで聞いていた繁が、梅に飛びついた。

――梅、私たちの夢がかなうじゃない。未来の文部大臣が約束してくれるんだもの。津田女子大、私にも協力させて――

常も遠慮がちに言葉を添えた。

――私も、きちんとした女子大が、日本には必要だと思います。ぜひ創ってください――

梅は、複雑な思いがした。

以前、捨松と繁に、津田塾を創れと言われた時には、責任を押しつけないで欲しいと猛反発した。

だが、あれから繁と捨松が相次いで結婚し、様々な経験を経て、梅の意識が変わり始めていた。自分がやるしかないのかもしれないと、漠然と思う。

まして、ほかならぬ森が文部大臣になって、後押ししてくれるのなら、不可能ではない気もしてきた。

伊藤博文に十一年ぶりに再会した時に、ひとつの扉が開いたと感じた。そして今、森との再会によって、ふたつめの扉が目の前に現れた。でも、それを押し開ける自信が、いまだに持てなかった。

その夜は、繁が人力車で送ってくれた。一台の車に相乗りして、繁が言う。

——梅、そろそろ伊藤さまの屋敷を出た方が、いいと思うわ——

——なぜ?——

——伊藤さまは普段は優しい紳士だけれど、とても女癖が悪いんですって。そんな屋敷に、いつまでもいると、梅まで悪い噂が立つわよ——

梅は目を伏せて答えた。

——女性関係のことは、私には関わりないけれど、そろそろ伊藤夫人や生子さんに教えることもなくなったし、近いうちに出ようかとは考えているの——

母娘には、ひと通りのマナーは教えた。特に梅子は呑み込みがよく、今では立派なレディぶりだ。

あとは英語だが、ふたりとも挨拶程度は身につけたものの、それ以上は、あまり積極的に学ぼうとしない。欧米人と話す際には、梅が通訳すればすむと思っているらしい。梅としては、そんな形で、いつまでも重宝がられるのは不本意だった。

人力車に揺られながら、繁が安堵の表情を見せた。

――それがいいわ。華族女学校への就職だって、伊藤さまを頼らなくても、森さまが何とかしてくださるだろうし――

――そうね――

――でも下田歌子女史にも、ちょっと気をつけた方がいいかもしれないわよ――

――どういうこと？――

――彼女も、よくない噂があるの。女好きな伊藤さまのお気に入りだから、どうしても妙な関係を勘ぐられるのよ。そこそこ美人だし、ほかの高官たちにも色気で取り入っているとか、もっとひどいことまで――

梅は憤慨(ふんがい)した。

――彼女は立派な方よ。そんな噂、繁まで信じるの？――

――信じちゃいないわ。でも噂が立ったら、それを消すのは大変よ。あなたも下手をすれば、そんな仲間だと見なされかねないでしょう。それにね――

少し言いよどんでから続けた。

――捨松だって、妙な噂を立てられているんだから――

――捨松が？――

――彼女は身分を気にしないで、誰にでも同じように接するでしょう。だから馬丁(ばてい)と不倫関係にあるって、そんなことまで言われるのよ――

――なんですって？――

――もちろん、根も葉もないことよ。でも女が目立つことをすると、誰かが足を引っ張るのよ――

繁は、しきりに眼鏡を持ち上げる。

――森さまの言う通り、これから梅は大きなことをすると思う。そのためには誰からも足を引っ張られないようにしなきゃならない。だから忠告するのよ。今すぐ伊藤邸を出なさい――

無責任な噂には腹が立ったが、それを抑えて、梅は親友の配慮を受け入れた。

――わかった。できるだけ早く、そうするわ――


結局、梅が伊藤邸で暮らしたのは半年だった。すでに教えるべきことは教えたという理由で、伊藤博文には退職を納得してもらった。

実家に帰るに当たって、さぞや仙に叱られるだろうと覚悟していたが、父は、ひと言だけで迎えた。

――よく帰ってきた――

母も姉の琴も大喜びして、精一杯の手料理で歓迎してくれた。

以来、桃夭女塾には、実家から人力車で通った。

下田歌子は充分な給金と、車代まで出してくれた。塾生は上流夫人揃いであり、月謝が安くないらしく、塾としての経営は順調だった。

一方、仙の農学校は危機に瀕していた。梅が帰国した頃が最盛期で、その後は学生数が減り始めていた。

その事実は、梅も薄々、感づいていたが、琴が打ち明けた。

――札幌の農学校は遠いけれど、とても評判がいいし、駒場にも農学校ができて、どちらも官営だから学費が安いの。それで学生が流れてしまって――

私学の農学校では太刀打ちできないという。まして本業の缶詰の出荷が頭打ちになって、学校経営を支えられなくなっていた。

秋になると乳牛が何頭も届いた。仙は思い切って本格的な酪農に手を広げ、バターやチーズの販売も手がけ始めた。

しかし梅は夜、父が深刻な表情で、深い溜息をつくのを何度も見た。酪農の成果は、すぐには出ない。むしろ乳牛の買い入れで、いよいよ経済的な負担が重くなったらしい。

父娘の齟齬はあったものの、どれほど仙が日本の農業改革に尽力し、どんな思いで若者たちを育ててきたかを、梅は多少なりとも理解しているつもりだ。もし農学校閉鎖に至るとしたら、断腸の思いに違いなかった。

だがクリスマスを迎える頃、とうとう仙が言った。

——農学校は閉めることにした——

予想はしていたものの、こんなに早くという思いで、心が痛かった。

——学生の人たちは、どうなるのですか——

——希望する者は、駒場の農学校に移れるように手配した。これからも新しい農業を学び続けられる——

——農業雑誌は？——

——そっちは続ける。でも学校は無理だ。おまえも自分の塾や学校を創るのなら、きちんと経営していかれる方法を考えないと駄目だぞ。私の失敗を教訓にしなさい——

仙は、いかにも残念そうに言う。

——下田歌子先生のように上流夫人だけを相手にするか、福沢諭吉のように授業料を前納させるか。しかし、どちらも貧しい者には手の届かない学校になる。その辺りを、どうするかだな——

梅としては、経済的に余裕のない女性にも教育を施したい。仕事を持って自立できるような、優秀な女性を育てたいのだ。でも学校は慈善事業では続かない。

梅は失敗した父の手前、やや控えめに答えた。

——自分の学校の件はともあれ、来年の秋には華族女学校が開校する予定ですから、とにかく、そこで経験を積もうと思います——

ようやく本格的な職が目の前に近づいており、やはり期待は大きかった。

するると仙は表情を和らげて言った。

――そうだな。それがいい――

半年間、離れて暮らしていたことと、父が気弱になって尊大さが失せたことで、四郎に端を発した反抗心は和らいでいた。

明治十八年（一八八五）九月、いよいよ華族女学校が四谷で開校し、梅は、晴れがましい思いで教壇に立った。

梅はアメリカの教師と同じように、教鞭を手にして教えた。黒板にＡＢＣを書いて、それを指し示すために使ったのだ。

生徒は桃夭女塾の塾生の娘世代で、授業中におしゃべりを始める生徒たちがいた。その時は、ぴしりと鞭で教壇の机をたたいた。すると、おしゃべりに夢中だった生徒たちがびっくりして、たちどころに静まる。

しかし何日もしないうちに、下田歌子が血相を変えて言った。

「津田先生は授業中に、鞭をお持ちだそうですが、父兄から苦情が出ています。うちの大事な娘たちは、牛や馬とは違うのだから、鞭などで打たないでもらいたいと」

梅は首を横に振って、日本語で言った。

「私は人は打ちません。机を打つだけです」

「いいえ、それでも鞭で脅すなど、とんでもないと父兄が怒鳴り込んできました。なんとか、お引取り願いましたが。とにかく授業中に鞭など、お持ちにならないでくださいませ」

鞭は教師に注目させるための道具だと、いくら説明しても理解してもらえなかった。

しかたなく、おしゃべりが始まると、梅は大きな音を立てて両手を打った。いったんは静まるものの、また教室の一角で、ひそひそ話が始まる。

そういう生徒に限って、教科書を音読させようとすると、つっかえてばかりで読み進められない。梅は予習を課しているが、家で教科書を開かなかったのは明白だった。

だが次第に、おしゃべりだけでなく、居眠りする生徒や、ぼんやり窓の外を眺めて、梅の話を聞かない生徒も現れた。

すると、またもや歌子に呼ばれた。

「津田先生の授業は、難しすぎると生徒たちから不評です」

梅は首を横に振った。

「いいえ、難しくありません。予習しないから、わからないのです」

予習してこないから授業を理解できず、その結果、つまらなくなって、集中できないのは当たり前だった。

「それなら予習しなくても、わかるように、お教えあそばせ」

だが予習復習なしでは、何年かかっても英語は身につかない。本も読めないし、話せるようにもならない。

仙のように幕末に外国語を習得した者は、たいがい数ヶ月で、まがりなりにも話が通じるようになったと聞く。それで実践の場に出ていったのだ。

まして女性は外国語の能力が、男性よりも優れているというのが、アメリカでの常識だ。語学は、やる気次第であり、時間をかければ、できるようになるわけではない。

それを何とか日本語で伝えると、歌子は意外なことを言った。

「何年かかってもよろしいのです。それで英語の挨拶が少しでもできるようになれば。ほとんどの女学生には、英語を使う機会などないのですから」

梅は信じがたい思いで聞き返した。

「でも、それでは、鹿鳴館で西洋人と話ができません」

「鹿鳴館でも挨拶ができれば、あとは通訳を雇えばすむことです」

それでは欧米人と親しく語らえず、鹿鳴館外交の成果が上がらない。

しかし歌子は、なおも言い募る。

「華族女学校は英語専門の学校ではございません。外交官夫人になるなどで、外国に出る方は、それなりの塾に通えばよろしいのです。必要になれば誰でも必死に学びます。桃夭女塾の塾生が熱心なように」

梅は納得がいかなかった。

「生徒は、なぜ学校に来ますか？　学ぶためでしょう？」

だが驚いたことに、歌子は首を横に振ったのだ。

「うちの生徒たちは、親に勧められて入学した者ばかりです。自分から学ぼうとして入った者は、ほとんどおりません。この女学校に通っていれば、上流の令嬢と見なされますし、同じように育ちのいいお友達もできましょう。上品な言葉遣いなども、おのずから身につきますし」

そういったことが英語教育よりも大事だという。

「それに何より大切なのは、よい縁談に恵まれることです。そのために華族女学校出身という経歴が、少しでも役に立てば、それでよろしいのです」

梅は失望した。嫁入り前の経歴づくりの場に、自分が駆り出されようとは思いもよらなかったのだ。

それでも中には熱心な生徒もいるし、素直で心根の可愛い生徒たちも多い。教え甲斐がないわけではなかった。

ただ女性の意識改革という理想からは、程遠いと感じた。開校早々ながらも、やはり自分の求めている世界は、華族女学校ではないと思い知る。

ならば理想とする学校とは何か？　自立した女性を育てたいという思いはあるものの、まだ具体的な学校の姿を、はっきりと意識できてはいなかった。

華族女学校で教え始めて三ヶ月が経った明治十八年（一八八五）十二月、内閣制度が発足した。日本で最初の内閣総理大臣には、伊藤博文が就任し、文部大臣は森有礼だった。梅は森の教育改革に期待を寄せた。

それから半年が過ぎ、華族女学校での初めての夏休みを迎えることになった。すると仙が言った。

――吉益が知らせてきた。とうとう娘を塾長にして、女子英学教授所という私塾を立ち上げたそうだ――

吉益とは亮の父親だ。以前から亮が夢見てきた英語塾が、とうとう実現したのだ。

仙は笑顔で勧める。

――夏休みに入ったら、留学仲間三人で花でも持って、様子見にいってきたらどうだ？――

梅も胸高鳴らせて答えた。

――そうします。どんな塾か楽しみだわ――

――場所は銀座の煉瓦街だ。開塾の費用は、徳川基金から借りたらしい――

仙もアスパラガスの缶詰を作り始めた時、缶詰製造機の輸入代金を、勝海舟から出してもらった。

その後も勝は基金を運用しつつ、旧幕臣の救済事業に低利で貸し付け続けている。女子教育にも理解があり、吉益父娘の塾には、特に快く出資してくれたという。

梅は、すぐに捨松と繁に連絡を取って、女子英学教授所を訪ねることにした。繁が、いたずらっぽく言う。

――それじゃサプライズで行かない？　あらかじめ知らせると、亮のことだから、いろいろ気を使わせそうだし――

捨松も梅も賛成し、華族女学校が夏休みに入ってから、銀座の洋花店で大きな花束を作ってもらい、それを携えて訪ねた。

誰が手渡すかで一悶着(ひともんちゃく)あったが、捨松が言った。

――留学中、いちばん亮に可愛がられてたんだから、梅が渡しなさいな――

結局、梅が大きな花束を抱えた。

塾は煉瓦造りの建物の二階だった。階段を上がっていくと、ちょうど授業の最中だった。ドア越しに中をうかがいながら、捨松が眉をひそめた。

――やっぱり、あらかじめ伝えて来ればよかったわね。授業を邪魔するわけにはいかないでしょうし――

繁はドアの隙間から覗き込んで言う。

――よく考えたら、師範学校や華族女学校が夏休みに入った今こそ、私塾はサマースクールの時期だわね――

三人で階段の上で小声で相談していると、急にドアが開いた。顔を出したのは亮の父親で、仙に開塾を知らせてきた吉益正雄だった。

「これは、これは、よく来てくれた」

すぐさま後ろを振り返って、教壇の娘に声をかけた。

「亮、おまえの大事な人たちが来てくれたぞ」

捨松が慌てて押し止める。

「授業を邪魔するわけにはいきませんから、終わった頃に、また出直します」

だが吉益正雄は、かまわずに梅の手をつかんで、中に引き入れた。

ちょうど亮は板書をしていたところで、白墨(はくぼく)を持ったまま振り返った。一瞬、何が起きたのか呑み込めなかったものの、見る間に笑顔になる。

──梅、捨松、繁、みんな来てくれたのッ──

スカートの裾をひるがえして駆け寄る。梅は慌てて言った。

──授業の邪魔をしちゃ悪いって、今、話してたの──

──邪魔なんて、とんでもない。とにかく入って。塾生たちも喜ぶわ──

三人が教室に入ると、塾生たちがざわめき始めた。亮は日本語で紹介した。

「この方が大山捨松さん。大山巌夫人よ。こちらが女子師範で音楽を教えている瓜生(うりゅう)繁さん、そして私の隣にいるのが華族女学校で英語を教えている津田梅さん。皆さん、ご存知でしょう」

ひとりずつ名前が出るだけで歓声が湧く。

捨松が後を続けた。

「皆さん、ごきげんよう。私たちは吉益先生のアメリカ留学仲間です」

亮は眼の前で片手を横に振った。

「仲間なんて、おこがましいわ。私は一年で帰ってきてしまったのだし」

また塾生たちに向かって話す。

「この三人は十年以上もアメリカで暮らして、ちゃんと女学校や女子大学を卒業なさったのです。いつか皆さんの中からも、そんな人が出て欲しいわ」

塾生たちから拍手が湧いた。梅が花束を差し出す。

――亮、開塾、おめでとう。夢がかなったわね――

亮が受け取ると、梅は塾生たちに向かって日本語で言った。

「皆さん、いい塾に入れて、おめでとうございます。一生懸命、勉強してください」

振り返ると、亮が片手で花束を抱え、もう片方の手で口元を押さえて、涙ぐんでいた。

繁が驚いて聞いた。

――亮、どうしたの？　なぜ泣くの？――

すると亮は涙で声を潤ませて、とぎれとぎれに言った。

――嬉しくて。三人に祝ってもらえるなんて、夢にも思わなかったし。私は、たった一年で帰ってきてしまって――

梅は首を横に振って、また塾生たちに日本語で、ゆっくりと語りかけた。

「あなたたちの先生の留学は一年でした。目の病気だったから。でも今は、とても英語が上手です。とても頑張ったと思います」

亮は梅たちと比べても遜色（そんしょく）ないほど、流暢な英語を話す。帰国後、眼病を克服してから、どれほど努力したかが推し量られる。

「あなたたちは素晴らしい先生を持ちました。あなたたちも頑張ってください」

塾生たちから、もういちど拍手が湧く一方で、亮が嗚咽をもらした。

捨松が亮の肩に手を置いて言った。

――この塾は、亮の頑張りの成果よ――

亮は花束に顔を埋めて泣いた。もらい泣きしない塾生はいなかった。

梅は帰宅してから、自分たちが、それぞれ選んだ道を思い返してみた。

捨松は上流夫人として、社会的意義のある活動に従事している。積極的に鹿鳴館外交に協力し、同時に女性の意識を改革しようと努めている。

そのために鹿鳴館でバザーを開いた。日本初のバザーとして注目され、大成功に至った。捨松は売り上げ全額を、東京病院という新設の病院に寄付し、念願だった看護学校の開校を促した。また、バザーの活動を通じて、尻込みする上流夫人たちに、社会に目を向けるきっかけを作った。

捨松から結婚すると打ち明けられた時、梅は彼女の選択を、まっこうから否定した。だが今になってみると、捨松の目指すものが、ようやく見えてきた気がする。

捨松のような生き方は、アメリカの女子大の卒業生にも多い。一流の伴侶(はんりょ)を持ち、ボランティアに力を尽くすのだ。

繁のように理解ある夫を持ち、自分の特技を生かして仕事を続ける女性も、アメリカには少なくない。また亮のように生涯を仕事に捧げる人も、もちろんいる。

長い間、会ってはいないが、上田悌のように名家に嫁いで滅多に外出しない女性も、日本はもとより、アメリカにも大勢いる。

アメリカ女性の生き方と、いちいち比べる必要はないものの、今の梅は仲間たちの、どの生き方も否定はしない。自分たちは留学を経て、それぞれの道を進んできたのだ。

だが自分自身が教師として、どんな女性を育てたいかと自問すれば、すぐに答えは出る。亮のような女性だ。

まだまだ西洋から学ぶべきことは多い。そのために英語は必須であり、通訳や翻訳ができる人材が圧倒的に足りない。それを育てる英語教師も求められる。

今は通訳や翻訳は男性の仕事だが、アメリカでは女性の進出が著しい分野だ。梅は日本女性にも、そんな仕事の機会を与えたい。そして男性に隷属（れいぞく）しないですむような女性を育てたかった。

亮はことさら強く主張はしないが、彼女の生き方を見て、塾生たちは自立して生きる意味を学ぶに違いなかった。

梅は女子英学教授所の発展を確信した。亮の生き方や人柄に惹かれて、これからも塾生は集まるに違いない。ある程度、実績を積めば、森有礼が力を貸してくれるはずだった。

今は単なる私塾だが、いずれは、きっと正式な女学校になる。それに自分も合流したい。亮のように優しく教えられないかもしれないが、前々から手伝うと約束している。

華族女学校で失望し、また見えなくなっていた理想の学校の形が、梅には垣間見えた気がした。亮こそが同志であり、亮とならば二人三脚で突き進めそうな気がした。

華族女学校に雇われて一年が経った。これまでは試用期間だったが、とうとう正規の教授として承認されたのだ。

下田歌子の考えには、今も違和感は抱くものの、仕事が保証されたのは嬉しかった。

辞令を受け取って、その足で女子英学教授所を訪ねた。真っ先に亮に見てもらいたかったのだ。

煉瓦造りの建物の階段を、軽い足取りで駆け上がった。あれから何度か訪ねてきて、授業の始まりと終わりの時間は、もう心得ている。今なら、まだ塾生たちは集まっていないが、亮は来ているはずだった。

真鍮製の丸いドアノブをつかんで、勢いよく開けた。

――亮、聞いて。私、華族女学校で――

途中まで言いかけて、梅は立ちすくんだ。

つい、この間まで並んでいた机も椅子も、黒板も教壇も、何もかも消えていたのだ。ただ何もない板の間が広がっている。

何が起きたのか理解できなかった。どこかに移転したのか。でも、それなら連絡があってもいいはずだ。

梅は混乱しながらも階段を駆け下りた。そして一階にある時計店に飛び込んで聞いた。

「上の塾、どうしましたか」

時計店の主人が奥から出てきた。

「ああ、女子英学教授所ね」

「どこかに引っ越しましたか」

「いや、閉めたんですよ」

聞き捨てならない言葉だった。

「閉めた？」

「あの綺麗な先生が、病気でね」

塾を閉めるとなると、相当な重病なのかもしれなかった。

「病気、重いのですか」

すぐさま見舞いに行こうと思った。だが続く言葉は、思いもよらないものだった。

「大きな声では言えないんですけど、実はコロリでね。亡くなったって聞いていますけどね」

梅は驚きのあまり立ち尽くした。

コレラは幕末の開国以来、海外から入ってきた恐ろしい伝染病だ。罹患（りかん）すると嘔吐（おうと）と下痢が止まらなくなり、衰弱した挙げ句に、数日で死に至る。コロリと死んでしまうことから、コレラがなまってコロリと呼ばれている。

ここのところ流行の兆し（きざし）があり、気をつけるようにと、華族女学校でも生徒たちに呼びかけたばかりだ。

時計店の主人は、目で上階を示した。

「消毒だ何だって、二階は大騒ぎでしたよ。こっちも商売あがったりでね。ようやく落ち着いたところですよ」

「いつですか？」

「コロリ騒ぎですか。もうひと月も前ですよ」

ひと月もの間、なぜ知らせが来なかったのか。

梅は信じられない思いのまま、街角で客待ちをしていた人力車に乗り込み、麻布の家まで走らせた。父なら何か聞いているかと思ったのだ。

家の前で停車するなり、飛び降りるようにして玄関に駆け込んだ。気配に気づいて、母が迎えに出てきた。梅は日本語で聞いた。

「父上は?」

「お客さまが来ているの。亮さんの、お父上さまですよ」

「亮の父上が?」

気がつけば、母の目は泣きはらして、真っ赤だった。母も亮の死を聞いたに違いなかった。ならば本当のことなのか。

梅は、おそるおそる応接間の扉を開いた。そこには仙と吉益正雄が、向かい合って椅子に腰かけており、ふたり同時に梅を見た。

仙も目を潤ませている。

――梅、ちょうどよかった。待っていたところだ――

すぐに吉益が椅子から立ち上がり、一気に話した。

「先月、亮が亡くなりました。コレラでしたので、人に移ってはと思い、内々の密葬にしました。お知らせするのが遅くなって申し訳ない。もし私や家族が感染していたら、皆さんにも移してしまうので。でも、もう潜伏期間は、とうに過ぎましたので大丈夫です」

梅は聞くだけなら、かなり日本語は理解できる。だが吉益の言葉は、別の次元で理解できない。どうしても耳が拒んでいた。

吉益は涙で言い淀みながら続けた。

「娘は自分がコレラと気づいてから亡くなるまで、梅さん、あなたのことを気にしていました。留学した時に、自分は幼いあなたを置いて、日本に帰ってきてしまった。そして今もまた、約束を果たせないままで、遠くに旅立つことになる。それが申し訳ないと」

梅は両手で耳を覆い、その場にしゃがみ込んだ。哀しみと嘆きとが涙と叫びになって、梅の中から溢れ出す。

——なぜ？　なぜ、亮が？　なぜ、あんなに優しい人が——

よりによって立派な塾を開いたばかりの亮が、どうして、そんな目に遭わなければならないのか。よりによって、たったひとりの同志だと確信できた亮が。

——なぜ？　なぜなの？——

叫んでも、どんなに泣き叫んでも、どこからも答えはなかった。

華族女学校の廊下を、女性の用務員が手持ちの鐘を鳴らしながら、ゆっくりと歩く。終業の合図だ。

――では、今日はここまで――

梅の言葉で、いっせいに生徒たちが教科書を閉じて立ち上がり、深々と頭を下げる。いったん席についてから、がたがたと音を立てて教科書を風呂敷に包み、帰り支度を始めた。

今頃、門の前には、それぞれの屋敷から、ねえやや爺やが迎えに来ている。お抱えの人力車が待っている生徒も多い。父兄たちが娘ひとりでの通学を嫌うのだ。

梅が手早く板書を消していると、さっきの用務員が戻ってきて言った。

「津田先生、応接室で、お客さまがお待ちです」

学校に誰か訪ねてくるなど珍しいなと思いつつ、黒板消しを置き、教科書を抱えて応接室に向かった。

廊下では帰りがけの生徒たちが、次々と梅に挨拶していく。

「先生、ごきげんよう」

ごきげんようは、もともと京都の御所言葉だ。その日、最初に会った時にも、別れの時にも使われる。

玄関脇の応接室の扉をノックしてから開けると、中には下田歌子と捨松が向かい合ってソファに腰かけていた。捨松は、華族女学校が開校する際の準備委員を務めたこともあり、歌子とは以前からの懇意だ。

「ごきげんよう」

就職から三年が経ち、今では歌子の前では、梅も捨松も、この挨拶を交わす。歌子が満面の笑みで話した。

「このたび大山夫人は、禁裏（きんり）の洋化顧問を承（うけたまわ）ったのですって。素晴らしいことですわ」

明治維新以降、天皇の身のまわりは西洋化が進んでいる。かつては公家装束をまとい、京都御所の御簾（みす）の奥で、ひっそりと暮らしていたが、今では洋服姿で堂々と馬にも乗る。

その一方で、宮中の女性たちは昔のままだ。外出する機会は増えたものの、重い十二単姿は変わらない。

しかし今後はヨーロッパ王室との外交の担い手として、皇后にも期待が寄せられている。そのためには皇后も女官たちもドレスを着こなし、西洋風の立ちふるまいも身につける必要が生じていた。

禁裏の洋化顧問とは、そのためのアドバイザーだ。まさに日本という国家に、恩返しができる立場だった。

梅は歌子の耳を意識して、日本語で言った。

「おめでとうございます。立派なお役目ですね」

歌子は気を使われていることに勘づき、梅に席を譲った。

「では私は失礼しますので、ふたりで、ごゆっくりお話しあそばして」

歌子が出ていくのを待って、すぐに気楽な英語に切り替えた。

——捨松、おめでとう。どんどん立派な立場に駆け上がっていくのね——

捨松の結婚という選択肢が、完全に成功したことを、もはや認めざるを得ない。

捨松だけでなく、この四月、とうとう黒田清隆が、日本でふたり目の内閣総理大臣の座についた。長州藩閥の伊藤博文の後を引き継ぐことで、薩摩藩閥の均衡をねらった就任だ。

伊藤の下で文部大臣を務めた森有礼は、黒田内閣でも同じ地位に留まった。教育改革は始まったばかりであり、その手腕が、いよいよ期待されている。

梅は冗談めかして言った。

——みんな偉くなっちゃうし、私は三年も足踏みよ——

華族女学校の教育には、いまだに違和感を覚える。それでも出口が見つからないまま、今の職場に留まっている。特に亮が亡くなったことで、先の展望が、また見えなくなっていた。

捨松は言い返した。

——また、そんなことを言う。もっと自信を持ちなさい。そういうところばかり、日本女性のよくないところを、身につけているんだから——

梅は苦笑した。

——でも本当のことよ——

すると捨松は真顔で身を乗り出した。

——今日はね、私の自慢話をしにきたわけじゃないの。しばらく前から話があったでしょう。あなたの仕事を分担できるような女性がいないかって——

それは、もともと歌子が梅に持ちかけた話だった。

華族女学校は四年目を迎えるに当たって、入学希望者が増える見込みだ。当初、家の奥に留まっていた華族の令嬢たちは、女学校の評判を聞いて、続々と入学し始めている。入学資格は華族と限定してはいないため、裕福な商家の娘なども、上流階級の令嬢として認められようと、こぞって入学を希望する。

生徒の増加に伴って、教師や教室が不足し始めていた。教室の件は、近いうちに永田町(ながたちょう)に煉瓦造りの堂々たる校舎を建てて、移転する計画がある。

ただし英語教師に関しては容易には解決できない。男性教師なら留学経験者がいるが、歌子は、できれば女性でと望んでいる。だが梅たち以降、女子の留学は続かなかったために、人材が手当できないのだ。

ならば、いっそアメリカ人かイギリス人の女性を雇い入れてはどうかと、梅は提案した。生徒たちには欧米人に対する気後れがあり、たとえ英語に熱心であっても、実際に話ができない。これを克服させるためには、欧米人と身近に接する必要があった。

ただし日本にいる欧米人の女性は、たいがい宣教師や外交官、貿易商などの妻だ。そういう人々は、どうしても日本人を軽んじているように、梅には感じられてならない。なかなか適任者が見つからなかった。

そんな状況下で、歌子が捨松に相談を持ちかけたらしい。

捨松は華族女学校の応接室で、いっそう身を乗り出した。

――私ね、あなたさえよければ、アリス・ベーコンを呼び寄せようかと思っているの――

久しぶりに聞く名前だった。捨松の卒業式に、一緒に参列して以来だ。

かつて捨松が、女学校を開く夢を初めて口にした際に、アリスを呼びたいと話した。だが、それきり話題になったことはなく、梅は忘れかけていた。

――もちろん私はかまわないけれど、アリスって、今、何をしているの？――

――黒人の子供たちに読み書きを教えているわ。私たちがアメリカを離れてからずっと――

梅はアリスらしいと感じた。

南北戦争で北軍が勝利し、南部の奴隷が解放されても、黒人には教育の機会が少なく、底辺の暮らしから抜け出せない。そこに手を差し伸べているのだ。

そんなアリスなら、日本の女子教育に対しても、宣教師夫人などとは違う視点で、尽力してくれそうな気がした。

――でも、アリスが本当に、こんな遠くまで来てくれるの？――

――もちろんよ。日本の女子教育のために働こうって、前からの約束だもの――

――でも、捨松と一緒にという話でしょ――

――私だって日本の女子教育から、完全に手を引いたわけじゃないわ。看護学校の設立には今も関わっているし。こうしてアリスを招くことだって、女子教育に役に立つでしょう――

女性の御雇外国人を招聘するとしても、漠然と人材を探すよりも、やる気のあるアリスを呼ぶ方が、いい結果を招くのは明らかだ。

捨松はドレスのポケットから一通の海外郵便を取り出して見せた。

――もうアリスには打診して、内諾はもらっているの――

梅は手紙を受け取って、中に目を通した。呼んでもらえれば、喜んで来日すると書かれている。

それを捨松に返しながら言った。

――私はかまわないわ。かまわないっていうより、むしろアリスなら歓迎するわ――

――よかった。そうしたら下田女史にも話すわ。あなたと私からの推薦ということで――

捨松は一瞬、目を輝かせたが、また真顔に戻った。

――もうひとつ、お願いがあるの――

――何？――

――アリスは来日しても、私の家で一緒に暮らしたくはないんですって。さんざん日本の家の愚痴を手紙に書いちゃったから、ちょっと警戒してるみたい――

――じゃあ、住むところはどうするの？――

――アリスは東京で自立したいらしいの。小さな家でも借りて。でも日本語ができないのに、ひとりじゃ無理だから――

さらに身を乗り出した。

――だから、あなたに一緒に住んでもらいたいの。アリスも、それなら満足するわ――

思いがけない話だった。捨松は珍しく、少し遠慮がちに続けた。

――これは、あなたのためにもいいことだと思うの。私たちは女性の自立を訴えているけれど、私や繁は夫に頼っているし、亮は塾を開くのに父親の力を借りたでしょう。あなただって、お父さまの庇護(ひご)の下(もと)にいる――

その点は梅も認めざるを得ない。伊藤博文の屋敷から戻って以来、ひとり暮らしを始めようと、何度も思った。

だが家族には猛反対されたし、だいいち貸してもらえる家がなかった。手頃な家があっても、家主が渋るのだ。

「女の人のひとり暮らしはねえ。後家(ごけ)さんなら、まだしも。嫁入り前の娘さんじゃ、何か起きても困るしねえ」

梅は、日本で自立できる女性は、後家だけなのだと思い知った。

古くから伝わる女性向きの書物に女大学がある。その中には「三従(さんじゅう)の教え」という心得があった。女性は「幼にしては父兄に従い、嫁(か)しては夫に従い、老いては子に従う」というものだ。

この三従の教えから、唯一、解き放たれるのが後家だった。

一般的に若くして夫に先立たれた場合、いったん実家に帰って再縁させられるものだ。しかし三味線を教えられるなどの特技があれば、ひとりでも暮らしていかれる。あるいは算盤勘定に長けていれば、後家貸しという高利貸しも、弱者救済の意味から公認されてきた。

生娘ではないから、異性との関わりは本人次第だ。だから家主は「後家さんなら貸す」と言うのだが、嫁入り前の娘は、年齢とは関わりなく駄目だった。

一方、若くて美しい後家は、色眼鏡で見られやすい。下田歌子も夫と死別しているために、政府高官たちと男女の関わりがあるのではと、勘ぐられたのだ。

梅はつぶやいた。

――アリスとふたりだったら、家を借りられるかしら――

すると捨松は胸を張った。

――あなたさえよければ、私が家を探しておくし、保証人にもなるわ。料理人や手伝いの人たちも見つけておくから――

近年、大山巌は伯爵を授爵しており、天下の伯爵夫人が後ろ盾になるのなら、何も問題はなさそうだった。

ただし、黒人教育に尽力してきたアリスにとって、華族女学校の教官など物足りなくはないか。それが梅には気がかりだった。

アリス・ベーコンは明治二十一年(一八八八)六月に来日した。そして梅もアリスも、捨松の借りた家に目を丸くした。

——ちょっと豪華すぎない?——

それは四谷の華族女学校から、ほど近い紀尾井町(きおいちょう)にあり、以前はロシア人外交官の住まいだったという。

洋館と日本家屋が渡り廊下でつながっており、門の両側には馬小屋と、奉公人の住まいになる長屋がある。庭には石灯籠と、ちょっとした池まであった。洋館以外は武家屋敷の体裁だ。

西洋料理の心得のある料理人と、お抱え人力車の車夫、馬好きなアリスのために馬丁、それに小間使いの女性まで、すっかり準備が整っていた。

捨松は当然とばかりに言う。

——アリスは洋館を使えばいいわ。梅は和室の方よ。おたがいのプライバシーも守れるし、悪くないでしょう?——

アリスは不安顔で聞く。

——私たちの収入で、お家賃や奉公人のお給料まで払えるの?——

——もちろん。アリスは四十円も頂けるんだから、充分よ——

四十円は高給ではあるものの、男性の御雇外国人と比べると、はるかに安い。これほどの暮らしが維持できるはずはなく、いくらか捨松が出しているのは明白だった。

アリスは少し不満顔だ。

――私は普通の日本の家で、よかったのに――

すると捨松は首を横に振った。

――あなたは日本のトイレが使えないわ。トイレを洋式に改造するくらいなら、この家を借りた方が安上がりよ。ベッドや家具もついているし――

それから夏休みの間、梅はアリスを日光に連れて行った。日光は欧米人に人気の避暑地だ。アリスは重厚な東照宮に目を見張り、改めて日本の文化を高く評価した。

新学期が始まる前に東京に戻り、梅は釘を刺した。

――華族女学校の生徒に会って、びっくりしないでね。彼女たちは勤勉ではないわ。いい縁談だけが目的なの――

するとアリスは肩をすくめた。

――アメリカの生徒だって、一生懸命、勉強するとは限らないわ。私が教えていた黒人の子供たちは、親が「学校なんか行かないで働け」っていう考えだし、子供は子供で、働くよりも学校の方が楽ができるからって、それだけのために通ってくる子も多いのよ――

――でも華族女学校の生徒たちは、経済的に恵まれているのに、勉強する気がないのよ――

だが授業が始まると、アリスは目を輝かせた。

――みんな、いい子じゃないの。とっても礼儀正しいし――

――確かに、お辞儀の仕方は丁寧だけれど。でもアメリカの生徒と比べて、いろいろ変じゃない？――

アリスは苦笑した。

――まあ、制服の着方が、少し変な子もいるけれどね――

華族女学校では四種類の制服を指定しており、生徒の家庭で、そのなかのひとつを選んで、テイラーで仕立てさせる。

だから制服そのものは変ではないはずなのに、いまだに着こなしが奇妙だった。どこに売っていたのかと首を傾げるような原色の靴下や、大きすぎる靴を履いていたりする。

――でも授業態度は、梅が言うほど悪くはないわ。おしゃべりもしないし――

――そお？　私の記憶では、アメリカの生徒たちは、もっとずっと勤勉だったわ――

――あなたや捨松は真面目だったから、周囲も真面目に勉強したように思っているかもしれないけれど、本当は、そうでもないわ――

梅はアリスの心が広いのかと思った。梅は自分の国のことだから、つい高い期待をしてしまう。でもアリスは不満を口にせず、いかにも楽しそうに教えた。

十一月の半ばをすぎると、アリスは感謝祭の日に、七面鳥を料理すると言い出した。

感謝祭は秋の収穫祭であり、アメリカの家庭では日本のお盆のように、遠く離れた家族が久しぶりに集まる。そのため大勢で食べられる大きな七面鳥の丸焼きが、定番料理だった。

仙は農場の一隅を囲って、数羽の七面鳥を飼い、毎年、感謝祭とクリスマス用に、アメリカ大使館やアメリカ人貿易商などに提供している。

――父に頼んでもいいけれど、ここには七面鳥を焼けるような大型のオーブンがないし、無理じゃない？――

――大丈夫よ。大鍋で料理するから――

アリスは自信満々に言うので、梅は仙に頼んでおいた。

感謝祭の前日には、生きた七面鳥が洋館のまわりを歩いていた。アリスが料理人に、仙の農場まで買いに行かせたらしい。

そして十一月二十二日の当日、いい香りが洋館の台所から漂ってきた。

梅と捨松と繁の三人は、夕方から招待されていた。日本では平日のため、アリスは休みを取り、梅は授業が終わってから駆けつけた。

三人がテーブルにつくと、日本人の料理人が、湯気の立つ七面鳥の丸焼きを運んできた。まるでオーブンで焼いたかのように、表面に茶色の照りがある。

三人同時に驚きの声をあげた。

――どうやって料理したの？――

アリスは笑顔で答えた。

——鍋ローストにしたの——

鍋ローストは蒸し煮に近い。

——でも焼いたみたいな色——

——照りはオイスターソースを使ったのよ——

意外な料理法に、三人は感心するばかりだ。

アリスが胸肉から切り分けて、人参やじゃがいもなどの付け合わせ野菜と、七面鳥の腹に詰めてあった米を、それぞれの皿に取り分けた。七面鳥の丸焼きにつきもののクランベリーソースや、グレイビーソースも用意されている。

——クランベリーはどうしたの？——

——缶詰を使ったのよ——

最初のひと口で、三人同時に歓声をあげた。

——美味(おい)しい。懐かしい——

中華料理のオイスターソースを使ったというのに、クランベリーソースのおかげで、梅はランマン夫人の味を思い出した。

アリスは自慢げに小鼻を動かす。

——工夫すればね、なんとかできるものよ——

捨松がフォークとナイフを持ったまま、大きな溜息をついた。

——ああ、私もこんな家で、あなたたちと一緒に暮らしたかったな——

梅はナイフを動かしながら言った。

——あなた自身が別の道を選んだのよ——

捨松は目を伏せて苦笑した。

——そうね。確かに、その通りだわ——

繁は少し気まずそうにアリスを見る。アリスは何も気にしないかのように聞いた。

——なぜ学校を創らないの？——

梅は聞き返した。

——誰に聞いているの？——

——あなたたち三人よ——

三人とも、また気まずい思いで口を閉ざす。ナイフが皿に当たるかすかな音が耳につく。

沈黙に耐えきれなくなったのか、繁が、あえて明るく言った。

——私は音楽担当だから、捨松と梅が学校を創れば、いつだって協力するわ——

またナイフの音が響く。

梅も思い切って言った。

——そもそも学校を創るって、アリスに約束したのは捨松でしょう——

ようやく捨松が重い口を開く。

——私は開校の準備に、全力を尽くすつもりよ。資金面でも文部省への申請でも——

するとアリスは梅に目を向けた。

——そうしたら梅が校長ね——

梅は思わず音を立てて、ナイフとフォークを置いた。

——待ってよ。前にも言ったけれど、私に責任を押しつけないで欲しいわ——

森と再会した時には、少し前向きになったものの、亮の急死によって、梅の気持ちは振り出しに戻ってしまっていた。

——私の父は農学校をやっていたの。でも経営が行き詰まって、十年も保たなかったわ。農場の利益をつぎ込んだけれど無理だった。だから私はわかっているつもり。学校を続けることが、どれほど難しいかってことを——

捨松が少し苛立たしげに言った。

——だから資金面は、私が寄付を集めるから——

——そうね、開校資金くらいは集まるでしょう。でも続けていくために、ずっと寄付を続ける人なんか、いやしない。そんな人がいたら、父の農学校は今も続いてるはずよ——

そう言い切ると、今度は誰もがナイフもフォークも止めてしまった。ただ静寂ばかりが続く。

するとアリスが淡々と話し始めた。

――アメリカに支援を求めればいいでしょう。教会を通して寄付を募れば、恒常的に続けることは不可能じゃないわ――

アメリカ人は教会や学校、病院、慈善事業などに対して、金銭的な寄付をいとわない。

梅はアリスに聞いた。

――それを私にやれと言うの？――

――もちろん私も手伝うけれど、梅に主体的に取り組んでもらいたいわ――

――そんなこと、できやしないわ――

――自信がないのね――

アリスは、なおも口調を変えずに言う。

――捨松の卒業式を見たら、誰だって自信をなくすわ。私だって、うらやましかった。卒業式で堂々とスピーチする捨松が――

図星をつかれて、梅は開き直った。

――そうよ、あの時、私は捨松にはかなわないと思い知ったの。だからこそ捨松に学校を開いて欲しかった。なのに――

もう言うまいと決めたのに、こんな時には悔しさがよみがえる。

――捨松には結婚なんて、してほしくなかった――

泣いてはならないと思っても、感情が高ぶって、つい涙声になってしまう。

またアリスが口を開いた。

——梅、あなたは、もういちど留学して、大学に行くべきだわ。自信を持つために。そして自分の学校を創るのよ——

梅は涙声で訴えた。

——私は十一年も留学させてもらったのよ。そのうえ、また留学なんか、できるわけないでしょう——

——できるわ。奨学金を受ければ——

捨松も言葉を添えた。

——渡航費は、私がなんとかする。森さんが文部大臣なんだから、そっちにも頼んでみるから——

梅は再留学など考えてみたこともない。突然の話に、とうていうなずくことはできない。

するとアリスが言った。

——アメリカで寄付を集めるためには、信用が要るし、その意味でも、大学を卒業して学位を取るべきだと思うの——

話しながら、冷えてしまった料理の皿を、自分の前から少し押しやった。

——もちろん梅がその気にならなきゃ、何も始まらない。いくら私たちが勧めたって、人に頼ってたら再留学なんてできない。自分自身で切り開かなくちゃ――

梅は目元にハンカチを押し当てていたが、それを離して、きっぱりと言った。

――今さらアメリカの大学で、シェイクスピアを研究しろとでも言うの？　そんなの無理に決まってる――

アリスは不思議そうな顔で聞いた。

――なぜシェイクスピアが出てくるの？――

――だって私は英語の教師だから。それとも師範学校にでも通えばいいの？――

――英文学だの師範学校だの、そんなことは忘れなさい。大学は自分の興味のある題材を、深く追究する場よ。学部は何だっていいのよ。哲学だって、数学だって。捨松だって外交の研究をしたでしょう。大学で学位を取るのは並大抵の努力じゃ駄目だから、できるだけ自分の興味のある学部や分野を選ぶべきよ――

梅は力なく首を横に振った。

――興味のある分野なんかないわ。あったとしたって、今さら学ぼうって気力もないし――

するとアリスは冷ややかに言った。

――あなたは学ぶ喜びを忘れてるのね。何より生徒に教えるべきことは、学ぶ喜びよ。教師が、それを忘れていたら、生徒はついてこない――

思いもかけなかった指摘だった。なおもアリスは厳しい口調で言い放つ。

――あなたが生徒に対して不満を抱くのは、お門違い（かどちが）よ――

するとと今まで黙っていた繁が、突然、甲高い声で言った。

――もう、やめてッ。今日は、こんな言い合いのために集まったんじゃないわ――

顔をゆがめながらも、テーブルの上の七面鳥を示した。

――せっかくアリスが作ってくれたんだから、もっと頂きましょうよ。感謝祭なんだし。ほら、おかわりは？――

繁は大きなナイフで、七面鳥の胸肉を切り分けて、懸命に場を盛り上げようとする。

しかし冷え切った空気は元に戻らない。そのまま感謝祭の夕食会は、お開きになった。

年末年始の休暇前のことだった。放課後、梅が廊下を通りかかると、下田歌子が数人の女学生を叱っていた。

「このような通俗的な雑誌を、学校に持ってきてはなりません」

通りがかりに、薄手の雑誌が目に入った。表紙の題名は「女」と「学」の後に、何か文字が続いている。

歌子は梅に気づき、少し気まずそうな様子で、女学生たちに雑誌を返した。

「今日は、もうお帰りなさい。二度と、このような雑誌を持ってきてはなりませんよ」

女学生たちは、しおらしくうなずいて、帰り支度のために教室に戻っていった。

休暇に入ると、梅はアリスを実家に誘った。

――よかったらクリスマスと、お正月は、うちで過ごさない？――

感謝祭に激しく言い合ったものの、その後、わだかまりを引きずることはなかった。だがアリスは首を横に振った。

――ありがとう。でもクリスマスは横浜で、知り合いのアメリカ人と教会に行くつもり。お正月は捨松のところで招いてくれているの――

梅は笑顔を作って言った。

――そうだったの。じゃあ春休みは、うちに来てね――

――ありがとう。そうさせてもらうわ――

言葉は親しげながらも、梅は、やはり溝ができてしまったような気もした。

久しぶりに麻布の実家に帰って、梅は父の書斎に挨拶にいった。ちょうど仙は外出していたが、机の上を見て、おやっと思った。つい先日、歌子がとがめ立てしていた雑誌と同じものが、何冊も置いてあったのだ。

今も同居している琴が、梅の帰宅に気づいて、書斎に入ってきた。

――帰ってたのね。ちょうどよかった。家族へのクリスマスのプレゼント、一緒に買いに行かない？――

――ええ、いいわよ――

梅は、さっきの雑誌を手に取って聞いた。

――この雑誌、知ってる?――

――ああ、女学雑誌ね――

――ジョガクザッシ?――

――なかなか面白いわよ。うちの農学校を出た人たちが発行しているの。農業雑誌も作っていた人たちで、編集の仕事はお手のものよ。日本で初めての女性向け雑誌で、女性を啓蒙するんですって。もう三年半くらい続いていて、けっこう売れているらしいわよ――

――そうなの? この間、うちの女学生が持っていて、下田女史に叱られていたわ――

――華族女学校じゃ嫌うかもしれないわね。ちょっと通俗的なところもあるから。でも堅いばっかりじゃ読まれないし。悪くない内容だと思うわ――

農学校の卒業生たちが、そんな分野に進んでいようとは、梅には意外だった。

それからは思いがけない速さで、休暇が過ぎていった。クリスマスには家族で教会に出かけ、明治二十二年(一八八九)の正月も家族で賑やかに過ごした。

そして紀尾井町の借家に戻る前日、梅は琴に相談した。

――アリスや捨松に、再留学を勧められているの。大学で学位を取って、やっぱり独自の学校を創って欲しいって。奨学金や渡航費のことは、力を貸してくれるんですって――

琴は小さくうなずいた。

――梅が頑張る気なら、私は反対しない。父上は、むしろ大賛成すると思うわ――

――そうかしら――

――やっぱり父上は、あなたに理想の女学校を創ってもらいたいのよ――

仙は海岸女学校のみならず、普連土女学校という新しいミッションスクールの開校にも尽力してきた。

――農学校は閉めてしまったけれど、父上は人を育てることが、何より大事だと思っているの。さっきの女学雑誌を作ってる人たちだけど、明治女学校っていう学校もやっているのよ。父上の頑張りが、どんどん枝葉を広げて実を結んでる。だから、あなたも――

仙は自分の業績を、ことさら梅に話さない。だから知らないことばかりだった。


正月が過ぎると、黒田清隆の政権下で、大日本帝国憲法の発布が近づいた。

二月十一日の発布当日、東京は大雪に見舞われた。祝賀の提灯行列が予定されていたが、積雪で見合わされた。

翌朝、雪解けの泥道を、梅は人力車で華族女学校に向かった。教官の控室に入ると、妙な雰囲気だった。誰もが一隅に集まって、小声で何か話し込んでいる。

梅に気づくと人垣が割れて、下田歌子が青い顔で駆け寄ってきた。

「津田先生、たいへんなことが起きました。森有礼文部大臣が殺されたのです」

梅は、とっさに日本語を聞き違えたかと思い、ゆっくりと聞き返した。

「森有礼、文部大臣が？」

はっきり発音しようとしても、気が動転して、いよいよ、たどたどしい日本語になってしまう。

歌子が青い顔をうなずかせる。教官たちも深刻な表情で、梅は事実だと悟った。頭が混乱して、もう言葉が出てこない。

ようやく、ひと言だけ、口から出た。

「なぜ？」

「まだ、わかりません。昨日、ご自邸で暴漢に襲われて、今朝方、お亡くなりになったそうです」

手が震え出す。自分たち女子留学生を、かの地で親身になって世話してくれた森有礼が、そんな形で命を落とそうとは、とうてい信じられない。

詳細は翌日の新聞で報道され、英字新聞にも記事が載った。

森有礼は十一日の朝、宮中で行われる憲法発布の式典に出席すべく、大礼服を身につけて、自邸で外出の準備をしていたという。

そこに見知らぬ男が訪ねてきた。秘書が応対に出ると、森の暗殺計画があるので、それを知らせに来たという。

森が階段を降りてきたところで、その男が突然、出刃包丁を取り出し、体当たりするようにして、森の脇腹を突き刺した。刃は深くめり込み、あまりの衝撃で柄が外れたという。その場で犯人は、森の護衛によって斬り殺された。

すぐに医者を呼んだものの、主だった医師たちは、こぞって宮中の式典に向かっており、そのために手遅れになってしまった。出血がひどく、刃を抜くこともできず、森は衰弱していった。

知らせを聞いた黒田清隆が、式典終了とともに駆けつけ、言葉をかけた。

「安心せい。憲法は無事に発布に至ったぞ」

森は薄れゆく意識の中で、しっかりとうなずいた。そして翌朝五時に、帰らぬ人となったという。

翌日からも新聞には続報が続き、犯人の素顔や凶行に至った理由が明らかにされた。

それは極端な国粋主義者だった。以前、森が伊勢神宮に出かけた時に、神殿で無礼な行為があったといわれている。ステッキで幔幕(まんまく)を払ったとか、幔幕の裾を持ち上げたとかいう話だった。

その真偽は定かではないが、それを犯人は鵜呑みにし、憲法発布当日をねらって凶行に及んだのだった。

アリスが英字新聞を読んでつぶやいた。

――きちんと裁判にかけずに、犯人を斬り殺してしまったのは、まずかったと思うわ。事実を明らかにできないし、殺されたことで、犯人が世間から同情されかねないでしょう――

その予測は当たっていた。さらなる続報では、犯人が両親に宛てた遺書が掲載され、読者の同情が集まり始めた。

それから数日後の夕方、繁が泣きながら紀尾井町の借家に駆け込んできた。

――ひどいわ。講釈師が芝居小屋で、でたらめな話をして、それを聞いた人が真に受けてるのよ――

本郷の芝居小屋で、有名な講釈師が「森有礼伝」と題して、森の生涯を語り聞かせ、大入り満員を続けているという。

その中で、特に森の離婚について、面白おかしく語られていた。常が鹿鳴館で西洋人とダンスを踊りすぎて、不倫の子を産んでしまい、離婚に至ったというのだ。

かつて梅が華族女学校の正規の教授になった頃、確かに森は常と離婚した。しかし、その理由は明らかにされていない。

捨松なら何か事情を知っているかもしれないと、繁と一緒に急いで屋敷を訪ねると、捨松は知る限りのことを話してくれた。

――私、鹿鳴館でバザーを二度、開いたの。最初のバザーでは、森夫人は率先して準備や売り場を取り仕切ってくれたから、二度目も期待していたのだけれど、体調が悪いからって、顔を出さなかったのよ。きっと、おめでたでしょうと、みんなで喜んでいたの――

しかし、いつまでも出産の知らせはなく、いつしか森夫妻は離婚に至っていた。森は離婚の理由を口にしないし、常は突然、上流社会から姿を消した。

するとと、とんでもない憶測が飛び出した。やはり常はバザーの時から妊娠しており、もしや不倫の子を産んで、離婚に至ったのではないかと。

――そうしたら、どんどん話に尾ひれがついていったの。はっきり不倫の子だってわかるとしたら、西洋人との間にできた子じゃないかって、そんなことを言い出す人まで現れたのよ。無責任なことを言わないように制止しても、上流夫人たちのひそひそ話は止まなかった――

そんな噂話が、森の衝撃的な死を機に、講釈師の耳にまで届き、まことしやかに芝居小屋で語られ始めたのだった。

捨松は端整な眉をひそめた。

――鹿鳴館外交は不平等条約の改正に、まったく貢献していないわ。その一方でダンスを、いやらしい目で見る人がいるのよ。男女が体を近づけて踊るからって――

そんな不満や批判が、今回の事件をきっかけに一気に表に出たのだった。

繁が声を潤ませた。

――あんまりだわ。そんな出鱈目(でたらめ)な講釈師なんか、取り締まるべきよ――

――私もそう思うわ。でも警察が踏み込む前に、かならず逃げてしまうのよ。どうやら警察から情報がもれているみたい——

——どうして？　誰が情報をもらすの？——

——森大臣は新政府の中でも、敵が多いのよ。だから、おそらくは警察の誰かが——

それまで梅は黙って聞いていたが、我慢ならなくなって聞き返した。

——敵が多いって、あんないい人が？　文部大臣としてだって、相当の功績があるのよ——

森は小学校、中学校、師範学校などを制度化し、日本の学校制度の近代化を推し進めていた。

捨松は深い溜息をついた。

——私たちにとっては、とてもいい人だったわ。でも彼の洋化策を嫌う人も多いの——

明治維新前、尊皇攘夷（そんのうじょうい）の風が日本中を吹き荒れた。帝（みかど）を敬い、西洋人を打ち払えという思想だ。それが国粋主義となって、今なお尾を引いている。

まして森有礼は、かつて日本の国語を英語にすべきだと主張した。また武士の帯刀を禁じるべきだと、かなり早い時期に訴えた。その後、廃刀は実現したものの、士族が誇りを奪われたという恨みが、森ひとりに向けられたのだ。

——薩摩藩閥の中でも、味方は、うちの大山と黒田総理くらいかもしれない。総理の気に入りということで、余計にやっかまれていたし——

捨松は、もういちど溜息をついた。

――梅、また逆風が吹いてしまったわね。あなたの再留学を頼んでいたのに――

しかし梅は何も答えなかった。自分自身のことよりも、森の無念を思うと腹が立ってたまらなかった。

今の日本の社会は、森有礼ほどの人物を闇に葬り、黒田清隆が絶賛した森常をおとしめる。それが許しがたかった。

森の死をきっかけに、ふたたび梅は女子教育について考えるようになった。やはり女性の意識改革の必要性を痛感する。

森夫人の不倫の噂だけでなく、かつては捨松も下田歌子も、嫌な噂を立てられた。それは男性の目線から生じたのだと、梅は思い込んでいた。

だが森夫人の噂の出処(でどころ)を聞く限りでは、女性の口から口へと広がったのだ。下卑(げび)た勘ぐりが、まして上流夫人の間で、ささやかれるなど、あってはならないことだった。

華族女学校で女学生たちを教え導くのも、女性の意識改革の手段のひとつではある。だが下田歌子は、そこまで望んでいない。

感謝祭の時にアリスが言ったことが、梅の心の中で、しだいに大きく膨らんでいた。

――梅、あなたは、もういちど留学して、大学に行くべきだわ。自信を持つために。そして自分の学校を創るのよ――

確かに梅が実際の行動に移れないのは、自信のなさの故だ。

アリスは、こうも言った。

――もちろん梅がその気にならなきゃ、何も始まらない。いくら私たちが勧めたって、人に頼ってたら再留学なんてできない。自分自身で切り開かなくちゃ――

いつか学校を創りたいという思いは、梅の心の底に、ずっと潜んではいる。その際に頼りになるのは文部大臣の森有礼だと、密かに期待も寄せていた。

だが、もはや森はいない。もっとも頼りにできる人物は失われたのだ。

捨松やアリスが手を差し伸べてくれるとしても、それよりも先に、自分自身で道を切り開こうとしなければ、何ひとつ始まらない。

それがわかっているのに、梅の思考は、そこで急に止まってしまう。あと少しなのに、その先の壁が取り払えない。強い意志が持てなかった。

アリスは、こうも言った。

――あなたは学ぶ喜びを忘れてる。何より生徒に教えるべきことは、学ぶ喜びよ。教師が、それを忘れていたら、生徒はついてこない――

――英文学だの師範学校だの、そんなことは忘れなさい。大学は自分の興味のある題材を、深く追究する場よ。学部は何だっていいのよ。哲学だって、数学だって――

そう言われて以来、ずっと自問している。自分の興味は、どこにあるのかと。それが見出せなかった。

思考の堂々巡りを繰り返しているうちに、季節は移り、春がやって来た。

日曜日に教会から帰ってくると、紀尾井町の借家の庭に、可愛い声が響いていた。長屋に住んでいる料理人の子供たちだ。

見れば、庭の池の淵にしゃがんで、何やら騒いでいる。

「何、これ？　気持ち悪い。ぐじゃぐじゃした丸いのが、いっぱい」

「ひとつひとつの中に、黒い点々があるよ」

「触ってみろよ」

「嫌だ。気持ち悪いもん」

彼らは下町の長屋育ちだ。建て込んだ町中には池などない。

梅は微笑ましい思いで近づいた。そして彼らと並んで、池の淵にしゃがんだ。

「これ、蛙の卵です」

いまだに日本語には自信が持てないが、やはり子供相手だと気楽に話せる。子供たちは目を丸くして聞き返した。

「蛙の？」

「この黒い点々が、おたまじゃくしになる。それから蛙になります」

「本当に？」

「本当です」

笑顔で話しているうちに、子供の頃の記憶がよみがえった。父の農場の池で、蛙の卵を取ってきて、蛙になるまで見守ったのだ。

子供たちが聞く。

「なんで？　なんで、こんな点々が蛙になるの？」

梅はしゃがんだまま、首を横に振った。

「なぜか、私は、わかりません」

そういえば、あの頃、不思議でたまらなかった。丸い卵が、なぜおたまじゃくしになって魚のように泳ぎ、なぜ手足が生えて、しっぽが消えて、蛙として陸に上がるのか。

今もって、その謎は、梅の中で解き明かされていない。改めて、なぜなのだろうと首を傾げた。生物学者なら知っているのかもしれない。

ふいに思った。いっそ生物学をやってみようかと。アメリカ留学の最後に、スミソニアン博物館に通った時にも、自然科学に興味を惹かれたのだ。

そう思いついた途端に、幼い頃に駆けまわった農場の風景が、脳裏にありありとよみがえった。

土から顔を出す緑のアスパラガス。縞木綿の小袖の肩口で、もぞもぞと動いていた七星てんとう虫。広大なキャベツ畑の上を、ひらひらと舞う無数の紋白蝶。緑色のキャベツの葉に穴を開けてしまう青虫。

どれもこれも愛しい生き物たちだ。あの生き物の世界に立ち返ってはどうか。アメリカの大学で、生物学を学んでみようか。

子供たちは池をのぞき込んで、なおも首を傾げ続ける。

「なぜなんだろう。なんで、これが蛙になるのかな」

梅は膝を抱えたままで答えた。

「今は、私はわからない。でも勉強して、いつか教えます」

「本当？」

子供たちが歓声をあげた。

「約束だよ。きっと教えておくれよ」

梅は大きくうなずいた。

蛙の卵が、どうしておたまじゃくしになるのか。それを解き明かすかと思うと、意外なほど胸が高なる。まさしくアリスが言った「学ぶ喜び」が、そこにあった。それを教える喜びもあるに違いなかった。

そういえばアメリカの女学校で、梅は文化系の学科よりも、理数系の方が好きだった。どうして今まで顧みなかったのか、不思議なくらいだ。自分でも驚くほど呆気なく決意が定まった。

梅は力強く立ち上がった。そして長屋に近づいて、車夫に声をかけた。

「車を出してください。麻布の家に行きます」

今頃、父の農場では、アスパラガスの収穫が盛りに違いない。あの実り豊かな農場と、そこで命を育(はぐく)む生き物たちこそが、自分の原点だと気づいた。

それを深く学ぼう。アメリカの大学で。梅は初めて、はっきりと意識した。


仙は座敷に洋机を置いた書斎で、原稿を書いていた。そして娘の来訪に気づくと、相好(そうごう)を崩して迎えた。

――おお、梅か。よく来たな――

梅は父親の前に立って、一気に告げた。

――今日は報告に来ました。もういちどアメリカに留学して、大学を卒業しようと思います。アリスが奨学金を手配して、捨松が渡航費を手当してくれます。これは私が学校を開くための、第一歩のつもりです――

仙は一瞬、意外そうな顔をしたものの、大きくうなずいた。

――そうか。迷っているようだと、琴から聞いてはいたが――

少し表情を和らげて言う。

――どれほどの苦労が待っているかは、誰よりも、おまえが心得ているだろう。よくぞ覚悟を決めた。で、入る師範学校の目処はついているのか――

梅は首を横に振った。

――師範学校ではなく、総合女子大に入るつもりです――

――英文学でも学ぶつもりか――

梅は父の発想が、以前の自分と同じなのが、おかしかった。

――いいえ。生物学を専攻するつもりです――

仙は眉を上げて聞き返した。

――生物学？　おまえがか――

――ほかに誰の話ですか――

――植物か、動物か――

――まだ、そこまで決めていませんが、とにかく自分の興味のあることを選ぶべきだと、アリスに勧められたので――

梅は幼い頃に接した蛙や虫たちの思い出が、自分の背中を押したと話した。

すると仙は肉づきのいい腕を組んだ。

――そうか、虫や蛙か――

そして、もういちど繰り返した。

――虫や蛙か、そうか、そうか――

梅は父の表情をうかがいながら言った。

——いけませんか。いけないと言われても、私は——

しまいまで言わないうちに、仙は慌てて答えた。

——いや、いけないとは言わない。おまえが決めたことだ。それでいいと思う。ただ——

——ただ?——

——おまえが、そういう方面に興味を持ったのが、少し意外だっただけだ——

仙の専門は農学であり、基本的に植物学で、生物学でもある。梅は父と同じ分野を選んだことで、過大な期待をされないようにと、軽く釘を刺した。

——卒業して帰国してから、生物学を教えるかどうかは、わかりません。多分、教えない可能性の方が高いと思います——

農学校の再興まで期待されては困ると思ったのだ。すると仙は当然とばかりに、笑顔で答えた。

——それはそうだろう。まず女子に求められる教育は、本格的な英語教育だ。女学生たちは英語を身につけてから、それぞれが専門分野に挑戦すればいい。そういう意味でも、おまえが生物学に進むのは、後進たちへの手本になる——

梅は安堵すると同時に、そういう考え方もあったかと、少し父を見直す思いがした。

その時、母が部屋の外から声をかけてきた。

「あなた、勝海舟先生が、おみえになりましたよ」

仙が振り返って答える。

「それは珍しい。すぐに、お通ししてくれ」

梅は遠慮して言った。

――では、私は帰ります――

――いや、ちょっと挨拶していけ。わが家の恩人だし、前から、おまえにも会わせたかったのだ――

仙が初めて缶詰の製造器を輸入する時から、出資してもらった恩人であることは、梅も聞いている。

近年では女学雑誌に、たびたび海舟の談話が掲載されている。江戸っ子らしく、歯に衣（きぬ）を着せずに、新政府高官などをこき下ろす論調が、人気を博していた。

どんな豪傑が現れるかと、梅が待ち構えていると、和服姿で白髪頭の小柄な老人が、杖を手に軽い足取りで庭先に現れた。顎がほっそりとして、どちらかといえば女性的な風貌だ。

仙が縁側に膝をついて迎えた。

「使いを寄越して呼んでいただければ、こちらから伺いましたのに。どうぞ、お上がりください」

沓脱石（くつぬぎ）から座敷に誘ったが、海舟は片手を横に振った。

「いや、ここに腰かけさしてもらうよ。近頃は腰かけの方が楽なんだ」

すると母が、座布団と煙草盆を持ってきて勧めた。

さっそく仙が紹介する。

「次女の梅です。六つの時からアメリカに留学させていただいた」

海舟は袖口から、布製の煙草入れを取り出しながら聞いた。

「ああ、これが自慢の娘さんかい。日本語は達者になったかい」

仙が苦笑いで答える。

「聞く方は大丈夫なのですが、目上と話す時に、へりくだったりする言いまわしが、いまだに駄目でして」

海舟は煙管に刻み煙草を詰め始めた。

「まあ、話し言葉なんざ、いい加減でいいのさ。江戸っ子だろう?」

江戸っ子は男女ともに言葉が乱暴で、それが江戸っ子ならではの粋でもある。

仙が少し冗談めかして答えた。

「東京生まれではあるのですが、ワシントン育ちでして」

「ちげえねえ。ワシントンっ子だったな」

海舟は膝を打ち、母も梅も笑った。

笑いが収まってから、仙が言った。

「梅は近いうちに、もういちど留学して、アメリカの大学に入ることになりました。いずれは女学校を創りたいそうです」

「おや、そうかい。そりゃあ、よかったな」

「大学では生物学を専攻するそうです」

「そりゃまた何よりだ。親父さんと同じ学問を選ぶとはな」

「いやいや、たまたまです」

父は笑いながら話す。その笑顔が梅には、とても嬉しそうに見えた。さっき海舟が言った通り、自分は父の自慢の娘だったのかと、初めて気づいた。

海舟は煙草盆の炭火で、煙管に火をつけ、一服してから、梅の方に顔を向けた。

「あんたの親父さんはな、あんたが帰国してから、仕事がないってんで、さんざん気にしてな。あんなに小さい時分から、アメリカになんざ、やらなきゃよかったって、悔いたこともあったんだよ。知ってたかい」

梅は首を横に振った。まるで初耳の話だったのだ。

梅の知る父は、いつも自信に満ちており、社会的には尊敬すべき人物ではあるものの、娘にしてみれば尊大すぎて、押しつけがましい。あれほど強引に推し進めた梅の留学を、よもや悔いたことがあったなど信じがたかった。

海舟は今度は母を目で示した。

「その点、おっかさんの方が肝が据わってる。最初に留学話があった時にゃ、さんざん反対したらしいが、帰国してからは、なるようにしかならねえって態度だったな」

するとお母が恥じらいながら言う。

「いえいえ、これでも、ずいぶん心配していたんですよ」

また皆で笑った。

海舟は、もういちど煙を吹かした。

「親父さんの方は、農学校が上手くいかなかったからこそ、娘にゃ、やりたい通りの学校をやらしてやりてえって、ずっと言ってたな」

そして、ぽつんと言い添えた。

「いい親父さんに、いいおっかさんだ」

仙が目を伏せて言った。

「いや、不甲斐ない親で」

四人の間に、ゆっくりと煙が揺らぐ。

「瓦解以来、旧幕臣にとっちゃ、生きにくい時代が、ずうっと続いてる。役人になったって出世はできねえし、商売やったり、百姓やったりするやつらもいるが、失敗ばっかりだ」

海舟は、もういちど梅を見た。

「そんな中で、あんたの親父さんは、ずいぶん頑張ってる方だ。若くて使えるやつらを何人も育てて、世の中に送り出したしな。そいつらが日本を変えようとしてる。明治維新は終わっちゃいねえ。まだまだこれからだ」

　手に持った煙管に目を落とした。

「まあ、そいつらだって、失敗するかもしれねえが、失敗だって悪かねえ。いくらでも失敗すりゃいいんだ。その積み重ねの上にこそ、成功が待っているんだし」

　そして煙管の先を、灰入れの角に打ちつけて、灰を落とした。

「新政府だってな、失敗ばっかりだ。鹿鳴館なんて仰々(ぎょうぎょう)しいものを、おっ建てといて、不平等条約改正なんか、ちっとも進んでねえじゃねえか」

　また梅に顔を向けて、にやっと笑った。

「けど日本は上向きだよ。あんたみたいなのがいるしな」

　おもむろに煙管を煙草入れに戻し始めた。

「金が要るなら、いつでも言っといで。あんたなら、いくらでも出してやる」

　梅は初めて日本語で答えた。

「ありがとうございます。もしかしたら、お願いするかもしれません」

　以前なら「大丈夫、自分で何とかします」と答えたところだが、日本では「ノーサンキュー」は素っ気(そけ)なさすぎるのだと、今では心得ている。

　海舟が煙草入れを袖口に押し込んで、腰を浮かせた。母が慌てて引き止める。

「もう、お帰りですか」

仙も身を乗り出して聞く。

「先生、今日は、何か用があったんじゃ」

「ああ、そうだった。歳をくうと、忘れっぽくなってしょうがねえな」

縁側の際に立ち上がって振り向いた。

「どこかに隠居所を持とうかと思ってな。おまえさんなら東京中の土地を、よく知っているから、探してもらおうと頼みに来たんだ。それだけの話だよ」

「どの辺りが、いいでしょう」

「まあ、ひなびたところで、茅葺き(かやぶ)の百姓家のひとつでも建ってりゃいいさ」

それから笑顔になった。

「けどな、今日はそんなことより、いい娘さんに会わしてもらって、何よりだった。足を運んできた甲斐があったってもんだよ」

来た時と同じような軽い足取りで、乗ってきた人力車の方に歩き出す。家族三人で見送りに立った。

海舟は人力車に乗り込む前に、梅を振り返った。

「あんたは、これから歯を食いしばって頑張って、成功をつかめよ。津田仙の、いちばんの手柄は、たった六つの娘をアメリカにやったことだって、後々、称え(たた)られるようにしてやってくれ。それが親孝行だ」

　梅は、はっきりとうなずいた。

「わかりました。頑張ります」

　後世の人々が、津田仙をひどい親だと呆れるか、それとも父娘で世のために尽くしたと称えるのか。それは、これからの自分の働き次第だ。

　人力車が遠のいていくのを見届けてから、三人は母屋に足を向けた。

　その時、梅は、両親が泣いているのに気づいた。母はふところから手ぬぐいを出して、目元に押し当てている。父は梅に背を向けているが、しきりに洟(はな)をすすっている。

　父も母も娘の前では弱みは見せない。でも勝海舟という偉人の前では、ふいに心の奥が表に出るのかもしれなかった。

　梅の中で、父に対するわだかまりは、いまだ消え失せてはいない。母を裏切って、ほかの女性との間に子を設けたことを、水に流して忘れたわけではないのだ。

　しかし目の前には、父の大きな背中と、母の小さな背中が並んで歩く。娘の決意に、同じように涙しながら。

　それを見ていると、この夫婦は、これでよかったのかもしれないと思う。外に子供を作ったことも、父の失敗のひとつであり、失敗の上に、今の穏やかさがあるのだ。

　ようやく、そう納得できた。

九　仙の到達

「津田仙さま、上海(シャンハイ)行きの汽船の乗船準備ができたそうです。艀船(はしけぶね)はメリケン波止場から出ます」

宿屋の主人の知らせで、仙は座敷にいた家族に声をかけた。

「じゃあ、そろそろ行くか」

座布団から立ち上がって、玄関に向かう。廊下の天井や帳場に目をやりながら、背後の梅に聞いた。

「間違いない。この宿だ。覚えていないか」

「いいえ、覚えていません」

仙は廊下を歩きながらつぶやいた。

「そうか。もう三十四年も前だしな」

梅が満六歳で渡米した前夜にも、ここに泊まったはずだった。

梅の二度目の留学の時には、アリス・ベーコンや山川捨松たちも一緒に見送りに来たために、外国人向けのグランド・ホテルに泊まった。あれから、もう十六年が経ち、仙は六十八、梅は四十歳になった。

梅が苦笑しながら言う。

「父上は、よく覚えていますね」

今では梅との会話は、ようやく日本語になったが、それでも発音は普通の日本人とは異なる。いつまで経っても、欧米人が日本語を喋っているような、妙な抑揚が消えない。

妻の初も少し呆れ顔で言う。

「本当に、そんな昔のことを覚えていらして、不思議ですよ。私なんか、小さい梅が行ってしまう情けなさで、頭がいっぱいでしたしね」

琴も冗談めかして言う。

「本当よ。父上は最近のことは忘れっぽいのに、昔のことは、しっかり覚えてらっしゃるのよね」

仙は女たちを振り返って答えた。

「あの後、何度も横浜に来ているから、そのたびに、ここの前を通っては思い出してたんだ。確か、ここだったなと」

初がしみじみと言う。

「そうだったんですか」

幼い娘の出発を懐かしんで、毎度、宿を訪ねていたなど、仙は女々しい気がして、長い間、黙っていたのだ。

廊下の突き当たりの玄関で靴を履き、仙はソフト帽をかぶって外に出た。四角い大型の革鞄は、先に汽船に運んでもらってあり、身軽な旅姿だ。

女たちは草履に爪先を通す。梅は二度目の留学から戻って以来、洋装をやめ、家でも外出の時も和服で通している。

外に出ると、横浜関内の日本人街には、堂々たる蔵造りの町家が連なる。日本大通りに近づくにつれ、神奈川県庁や税関など役所の立派な洋館が現れ、日本大通りから先は瀟洒な外国人街に変わる。

メリケン波止場に近づくと、目の前の海は秋晴れの空を映し、明るく輝いていた。風もなく穏やかな出航日和で、白い海鳥が飛び交う。海上には沖泊の外国船や、日本の汽船が何艘も浮いており、無数の艀船が桟橋との間を行き来している。

波止場に着くと、船会社の係員が少し申し訳なさそうに言った。

「上海行きですか。ちょうど今、艀船が出払ってしまったところなんです。まもなく戻ってきますから、そちらの待合所で、少しお待ちください」

仙は家族と一緒に、波止場脇の洋館に入った。女たちは木製のベンチに腰掛けて、おしゃべりを始めたが、仙は、なんだか気が急(せ)いて、また外に出た。

そして艀船の係留(けいりゅう)用の杭に寄りかかり、背広のポケットから上海行きの旅券を取り出して、もういちど確認した。渡航目的は短期の農業指導、出発日は今日、明治三十八年（一九〇五）十月十四日だ。

三十四年前の梅の出発の日は、忘れもしない十一月十二日だった。季節としては、今とひと月も違わないのに、あの日は雪でも降り出しそうな空模様で、ずいぶん寒かった。

梅の二度目の旅立ちの時には、天候まで覚えていない。とにかく娘の決意が嬉しくて、「体に気をつけて一生懸命に勉強してこい」と、そればかり繰り返した。

二度目の留学先はブリンマー女子大だった。捨松が出たヴァッサーなどと同じく、アメリカ東部にあるが、創設から四年という新設大学だった。そのため優秀な女学生を集めるべく、特に奨学金制度が充実しており、梅も、その恩恵を受けられたのだ。

在学中には生物学を専攻し、卒業論文のテーマは蛙の卵の研究だった。予想はしていたものの、それを手紙で知った仙は、思わず胸が熱くなった。子供の頃の農場の経験が、本当に実を結んだのだ。

三年足らずで学位を取って帰国し、それからは華族女学校の教授に復帰した。

その頃、仙は娘の顔が穏やかになったと感じた。女子教育に対する熱意は、以前にも増したはずだが、かつての触れれば火傷(やけど)しそうな勢いは、胸の奥にしまえる余裕が生まれたのだ。それだけ自信も持てたに違いなかった。

帰国から六年後には、東京女子師範学校の教授も兼任した。

それから、さらに二年後の明治三十三年（一九〇〇）には、もういちどアリス・ベーコンを招聘し、わずか十人の生徒ながらも、ふたりで麴町一番町に女子英学塾を立ち上げたのだ。

開校費用は捨松も国内で寄付を募ったが、仙の周囲からの寄付も集まった。特に琴の夫である上野栄三郎は、学農社を去ってから貿易で成功を収めており、女子英学塾を経済面で支えた。

それ以前に、梅は、すでにアメリカで八千ドルもの寄付を集めていた。それは生徒への奨学金として用いた。裕福な家庭の娘でなくても学べる道を開いたのだ。

しかし華族女学校や師範学校の教授という地位を捨ててまで、私塾で教えるなど、もったいないと惜しむ声も高かった。これに対して、仙は胸を張って答えた。

「自分の学校を開くのは、娘の長年の夢でしたので。華族女学校には都合十二年、女子師範には二年、奉職しましたので、六歳からの留学の恩返しは、いちおうできたかと思います」

女子英学塾の英語教育は、アメリカの大学並に厳しいと評判になった。洋書を使った授業は進み方が早く、塾生たちは予習復習をしなければ、ついていかれない。だが短期間で確実に英語力がついた。

開校から二年半で、最初の卒業生を世に送り出した。彼女たちは社会に出て、英語教師として活躍を始めた。その結果をかんがみて、しっかりと学ぶ覚悟のある生徒たちが、入学を希望するようになった。

そんな成果が評価され、去年三月には文部省から専門学校の認可が下りた。さらに半年後の九月には、社団法人の認定も受けた。もはや一私塾ではない。

ここに至るまでに、梅には並々ならぬ苦労はあったはずだが、仙は娘の泣き言を聞いたことがない。再留学までの逆風続きから比べれば、希望に向かうための苦労であり、むしろ楽しかったのではないかとさえ思う。

仙が白い海鳥を眺めていると、背後から梅が声をかけてきた。

「父上」

振り返ると、梅は微笑んで言った。

「四郎に、よろしく言ってください」

仙は深くうなずいた。

「わかった。四郎も喜ぶだろう」

かつて梅は、婚外子の存在に嫌悪感をあらわにしたが、今では金子四郎を弟と認めている。

梅が二度目の留学中に、四郎は東京府尋常中学校を卒業し、大蔵省に就職した。特に英語の成績が抜群だったため、横浜税関に配属された。

就職から三年後、日本は日清戦争に勝利し、台湾と中国本土の遼東(りょうとう)半島を手に入れた。すると現地に税関の派出所が設けられ、四郎が赴任を命じられた。そこでも四郎は語学の才能を発揮して、中国語も身につけた。

その頃から日本の大陸進出が勢いづき、とうとう去年、日露戦争が勃発し、日本の勝利で終わった。

四郎は仙に似て面倒見がよく、それでいて人とぶつからず、組織の中で協調できる人柄だった。そのために、いつしか中国の税関に出向するようになり、つい最近、上海税関に異動になった。

明治維新の二十数年前に、イギリスが阿片戦争に勝利して以来、上海は国際貿易港となり、実質的な外国領である租界が市内に存在する。イギリス租界やフランス租界、さらに各国の共同租界もあり、ヨーロッパ風の美しい街だと評判だった。

その反面、おびただしい量の阿片の流入も続いており、上海は管理が難しい税関でもある。だからこそ日本政府は、日本に阿片が持ち込まれないように、あえて四郎を出向させたのだった。

四郎は以前から仙に、いちど中国に遊びに来ないかと、誘いの手紙を送ってきていた。仙がなかなか腰を上げないでいると、今度は農業指導のために来てくれという。上海には味の良い西洋野菜がなくて、西洋人が困っているというのだ。旅券申請のために必要な書類まで送られてきた。

かつて仙の西洋野菜の缶詰は、香港産に押されて売り上げが下がったことがある。だから今さら仙が、中国で教えることなどないはずだった。

農業指導のためというのは、四郎の口実であり、気遣いに違いなかった。そうわかってはいるものの、仙は心が動いた。そこまで誘ってくれる息子の気持ちに応えたくなったのだ。しかし、いつでも行かれると思うと、つい先送りになってしまう。

そうこうしているうちに、横浜と上海の間に海底ケーブルが敷かれ、電信が開通した。すると早々に四郎から電報が届いた。

「ライホウヲココロヨリマツ　カネコシロウ」

来訪を心より待つという電文を、たまたま梅が目にした。

「父上、行ってあげて。四郎は自分の仕事ぶりを、父上に見てもらいたいのでしょう」

そう勧められて、とうとう仙は腰を上げたのだ。

海鳥が目の前を飛び交い、艀船が白い引波をかきたてながら、こちらに向かってくる。仙は旅券をポケットに戻して、梅に言った。

「あれが戻ってきたら、乗船だな」

すると梅は、ふところから小さな布袋を取り出した。

「これを歌子に」

歌子は四郎の娘だ。見れば手提げ袋だった。片面ずつ違う花の柄が刺繡(ししゅう)されている。

仙は受け取って聞いた。

「おまえが作ったのか」

「はい」

そういえば梅は、幼い頃から手先が器用だった。

「これは歌子が喜ぶな」

歌子は梅が二度目の留学から帰国し、華族女学校に戻った頃に生まれた長女で、下田歌子の名前をもらった命名だった。

四郎は中国に赴任してから、歌子を日本に送り帰し、梅に託した。英語を仕込んで欲しいという。梅は、それに応え、姪(めい)を手元に置いて育てたのだ。

今、歌子は上海で両親とともに暮らし、英語力を生かして、イギリス租界で働いていると聞く。

その姪のために、梅は刺繡の手提げを手作りしたのだった。

「じゃ、預かっていく」

仙は手提げ袋もポケットにしまった。梅は、しおらしく頭を下げた。

「ご無事で、お帰りください」

「そう改まるな。短い渡航だ。まして外遊は五回目だぞ」

幕末の軍艦購入の渡米を含めて、仙はアメリカに二回、ヨーロッパに二回、都合四回も洋行しているが、中国は初めてだ。

梅は冗談めかして言う。

「でも父上も、お年ですから」

仙も笑って答えた。

「人を年寄り扱いするな」

もはや六十八歳で、これが最後の外遊だと覚悟している。それよりも父娘で、こんな冗談が言い合えるようになったのが嬉しい。以前は煙たがられてばかりだったのに。

あえて海を向いて言った。

「四郎には、いい土産(みやげ)話ができるな。女子英学塾が軌道に乗ったと」

それから梅を振り返って、明るく言った。

「おまえは、とうとう父の失敗を活かせたな」

梅は小さく首を横に振った。

「父上から不屈の心を学びました。父上は学校を、いくつも立ち上げたし。特に女子教育には熱心でした」

仙は苦笑した。

「おまえが生まれた時には、男ではなかったと腹を立てたものだが、そんな私が女子教育に熱を入れようとは、夢にも思わなかったな」

仙が支援したスクーンメーカーの海岸女学校は、かつて開拓使の官園があった一角に移転して、青山学院と改称した。

もう一校、仙が普連土学園という校名を決めた女学校も、順調に発展している。

さらに宣教師から、日本には盲学校が必要だと聞くと、あちこち駆けずりまわって、開校までこぎつけた。

仙自身が幼い頃に失明しかけた経験と、吉益亮が眼病のために留学を途中で切り上げざるを得なかったことが、下地にあったのだ。

そのほか銀座に夜学の簿記学校を開いたり、不良少年たちの更生施設を開設するために、夢中で奔走したりもした。

学農社は農業雑誌の刊行を続けている。だが、それも数年前に息子に譲り、仙は鎌倉に隠居所を得て、初とともに暮らしている。

今度の上海行きも、土の改良や苗の育て方、収穫後の保存方法などを教えるだけでなく、できれば現地で農学校を創るよう助言をしたい。それが、ささやかな楽しみだった。

仙は近づいてくる艀船に、また目を向けた。よく見ると、小さいながらも煙突を備えた蒸気船の艀船だ。

岩倉使節団が出発した当時は、蒸気船の艀船など一隻しかなくて、岩倉具視と側近たちだけが乗っていき、梅たちは手漕ぎの艀船だった。

今でも荷の積み下ろしは、もっぱら手漕ぎ船だが、乗客の乗り降りには小型の蒸気船が用いられている。

「時代は進んでいるな」

仙は、しみじみとつぶやいた。

「瓦解の時にな、私は長崎に行って、女傑と呼ばれる女を見た。その人は開国前に清国に密航して、中国茶がイギリスに高値で売れることを知り、日本でも茶の輸出を始めたそうだ。その結果、瓦解前の日本に、すでに莫大な外貨をもたらした。その時、私は、女でも大きな仕事ができるのだと思い知ったのだ」

長崎での経験を、梅に話すのは初めてだった。

「それがわかっていれば、おまえが生まれた時に、あれほど腹を立てることもなかったのに。今になってみると笑い話だな」

仙は待合所を振り返った。そこでは初と琴が話し込んでいるに違いなかった。

また梅に視線を戻した。

「私が、おまえに名前もつけてやらなかったから、初が梅の盆栽から名前をつけたのだが、それにしても実に、おまえらしい名前を選んだものだ。まだ寒さの厳しい時期に、花を咲かせる梅とはな」

冬枯れの中で真っ先に咲く梅花の健気(けなげ)さは、時代に先駆けて女子の英語教育を確立した梅の生き方を、まさに象徴する。

するとと梅が意外なことを言った。

「父上の名前も水仙でしょう。寒い時に、ほかの花よりも先に咲きます」

自分の名前が水仙に由来しているなど、考えたこともなかった。

梅は父親の背広のポケットを目で示した。

「さっきの歌子へのお土産、もういちど見てください」

仙がポケットから取り出すと、片面の刺繡は梅の花で、もう片面は水仙だった。

「それは父上と私。頑張って頑張って、ようやく花が開いたところです」

仙は言葉を失った。

「父上の創った学校を出た人たちが、また別の学校を創ったり、新しい仕事を始めたりして、いろいろな大事なことが日本中に広がっています。父上は失敗したわけではありません。水仙は球根で、たくさん増えます。私も父上の水仙から増えた球根のひとつです」

そんなふうに娘に認めてもらえようとは、夢にも思わなかった。ありがたいと思うのに、喉元に熱いものがこみ上げて、うまく言葉にできない。

もどかしい思いを抱えていると、いつのまにか艀船が桟橋に横づけしていた。太い麻綱が、目の前の杭に掛けまわされる。

船会社の係員が待合所の扉を開けて、中に声をかけた。

「上海行きの艀船が着きました。乗船する方は、お急ぎください」

乗船客と見送りの人々が、わらわらと待合所から出てくる。その中に初や琴も混じっていた。

仙はまばたきで涙を乾かしてから、平静を装って、家族に向かって片手を上げた。

「じゃあ、行ってくる」

初が腰を折った。

「くれぐれも、お気をつけて。お水や食べるものにも、よくよく気をつけてくださいませ」

「長旅ではないし、大袈裟に言うな。上海なら英語も通じるだろうし、何より四郎が迎えてくれるのだから、何の心配もない」

仙は、もういちど片手を上げると、上海行きの乗船券と旅券を、係員に見せて艀船に乗り込んだ。

船上には蒸気機関の煙の匂いが漂い、床下から小刻みな振動が伝わる。乗客がすべて乗り込むのを待って、係員が太綱を杭から外した。蒸気機関の音が高まり、周囲の海面が泡立ち始めて、艀船が離岸した。

仙が船縁に立つと、梅も初も琴も胸元で小さく手を振った。仙は片腕を上げ、大きく左右に振って応える。艀船は勢いを増し、たちまち桟橋から離れていく。

思えば三十四年前の仙と梅は、今の立ち位置とは逆だった。仙は陸上から幼い娘を見送り、梅は手漕ぎの艀船に乗せられて、沖の大型汽船に向かったのだ。

以前、梅が怒りに任せて、言い放ったことがある。

――私は本当は、アメリカなんか行きたくなかった。遠い知らない国に行くのが怖かった。怖くてたまらなかった。それでも父上のためと思って、我慢して船に乗ったんです。向こうでだって、つらいことを山ほど我慢してきたんです。立派になって帰ったら、父上が喜んでくれると信じて――


幕臣として生きにくい時代に、仙は女子留学生の募集を聞き、千載一遇の機会を逃してはならないという一心で応募した。留学が梅自身のためにもなると信じて疑わなかった。でも梅は、ひとえに父親のために、歯を食いしばって我慢していたのだ。

渡米中も帰国後も、普通の少女なら、しなくてすんだ苦労を背負った。それに気づいてからは、頑是（がんぜ）ない娘を留学させたことや、結婚させなかったことを悔いた。日本人でありながら、一生、欧米人のような日本語しか話せなくなったことも哀れんだ。

でも今、こうして遠のいていく娘の姿を見ていると、あれでよかったのだと、ようやく納得ができる。

梅は仙の生き方を肯定する。「父上は失敗したわけではありません」と。だが六十八歳の今まで、出世とは一切、無縁だった。息子に事業を譲ってからも、悠々自適の暮らしとまではいかない。金が入ってくれば、すぐに人のために使ってしまうため、今も多額の負債を抱えている。自分が死んだら、遺産など何も残らない。

艀船は進んでいき、三人の和服姿が、どんどん小さくなっていく。

いちど仙は梅に聞いたことがある。

「なぜ洋服を着ないのだ？」

すると梅は、あいまいに首を振った。

「別に理由はありません」

だが後になって、初が代わりに教えてくれた。

「ドレスを着ていると、何かと目立つから、嫌なのでしょう」

仙は納得できずに聞き返した。

「目立って何が悪い？」

「目立つと、何かと足をすくわれやすいんですよ。捨松さんや下田歌子先生のように、ありもしない話を、でっち上げられたりするし」

捨松は馬丁との不倫の噂を流されただけではすまなかった。「不如帰（ほととぎす）」という新聞小説で、肺病のヒロインをいじめる継母（ままはは）のモデルにされたのだ。

捨松が結婚する際に、大山巌（いわお）には幼い女児の連れ子たちがいた。捨松は彼女たちを、わが子同様に慈（いつく）しんで育てたが、そのひとりが胸を患ったのは事実だった。

「不如帰」は大ベストセラーになり、すぐにモデルは特定された。読者は内容を事実だと信じ込み、捨松には冷ややかな視線が集中した。

「本当に捨松さんは、お気の毒ですよ。継子のことを、あんなに可愛がって育てたのに」

初は小さな溜息をついた。

「だから梅は、できるだけ目立つことは避けているんです。まして独り者だから、何かと誤解を受けやすいし、身持ちが堅く見えるように、和服の襟合わせを詰め気味にして、きっちりと着るんですよ」

かつて梅が帰国して間もない頃、仙は、こう言って聞かせたことがあった。

――おまえは今後、身を律して、自分の使命をまっとうせよ――

その教えを、梅は律儀に守っているのだ。

その後、琴からも言われた。

「今まで男の人に限られていた仕事を、女が上手に片付けたりすると、決まって陰口をたたかれるんですって。『女のくせに』って」

そんな女性が、男性の仕事仲間と一緒に頑張っているだけで、男女の仲を勘ぐられるという。ほかの男たちのひがみにすぎないのだが、言われた女性は深く傷つく。

女性が思う存分に働くには、社会が成熟しなければならない。そうなるまでに今後、どれほどの年月がかかるか計り知れない。でも前に進まなければ、改まることもない。

仙には種を蒔いたという自負はある。ふいに独り言が口から出た。

「いや種ではなく、梅の苗木を一本、大地に植えただけかもしれんな」

苗木は自分の力で枝葉を伸ばし、立派に開花した。そこから先は、また次の世代の役目だ。

いつのまにか艀船が、上海行きの大型汽船に横づけし、蒸気機関の音が鎮まっていく。陸を振り返っても、もう女たちの姿は見えない。

船会社の係員が声をからす。

「上海行きの汽船への乗船です。順序よく階段を登ってください」

仙は人々の後に続いて、艀船から階段下の浮き台へと乗り移った。人の重みで足元が揺れる。

ポケットに手を差し入れて、乗船券と旅券を確かめると、梅の手作りの手提げが、指先に触れた。

「梅と、水仙か」

裏表の刺繍に心温まる思いがして、ペンキが塗られた鉄製の階段を、軽い足取りで登った。


上海行きから二年半後の明治四十一年（一九〇八）四月二十四日、七十歳になっていた津田仙は、東海道線の列車内で倒れて、そのまま帰らぬ人となった。

その日、所用で東京に出て、住まいのある鎌倉に帰る途中だった。葬儀は青山学院のチャペルで執り行われた。

翌明治四十二年には、初が夫の後を追うかのように病没した。

梅が五十一歳になった大正五年（一九一六）には、かつての女子留学生たちが、四十四年ぶりに再会した。早世した吉益亮以外の四人だった。桂川という蘭学の名家に嫁いだ悌は、長い間、仲間に背を向けていたが、ようやく旧交を温めたのだ。

その翌年、梅は糖尿病で、築地の聖路加病院に入院。その後、脳内出血も発症し、入退院を繰り返すようになった。

大正十二年（一九二三）の関東大震災で、女子英学塾は五番町の校舎が全焼した。すでに移転先として、東京の西の郊外である小平に、二万五千坪もの敷地を購入していたが、復興資金をアメリカで募った。

そして昭和四年（一九二九）八月十六日、梅は鎌倉の家で六十四年の生涯を閉じた。

小平に新キャンパスが完成したのは、三年後の昭和七年（一九三二）。さらに翌年の昭和八年には、女子英学塾は津田英学塾と改称した。

そして今も津田塾大学として、自立を目指す女性たちを、小平の地から輩出し続けている。

主な参考文献

高崎宗司著『津田仙評伝』
津田道夫著『津田仙の親族たち』
寺沢龍著『明治の女子留学生　最初に海を渡った五人の少女』
大庭みな子著『津田梅子』
古木宜志子著『津田梅子　人と思想116』
久野明子著『鹿鳴館の貴婦人　大山捨松　日本初の女子留学生』
生田澄江著『舞踏への勧誘　日本最初の女子留学生　永井繁子の生涯』
アリス・ベーコン著、久野明子訳『華族女学校教師の見た明治日本の内側』
黒岩比佐子著『明治のお嬢さま』
井黒弥太郎著『人物叢書　黒田清隆』
犬塚孝明著『人物叢書　森有礼』
泉三郎著『堂々たる日本人　知られざる岩倉使節団』
伊藤真実子著『明治日本と万国博覧会』
吉川利一著『津田梅子』

青山学院女子短期大学六十五年史編纂委員会編『青山学院女子短期大学六十五年史 通史編』
藤森昭信ほか著『復元　鹿鳴館・ニコライ堂・第一国立銀行』
若松城天守閣郷土博物館発行『明治の会津藩～新時代を生きた会津人～』
小島一男著『会津女性人物事典』
遠藤由紀子著『会津藩家老山川家の明治期以降の足跡』（昭和女子大学女性文化研究所紀要　第45号）など

本書は、書き下ろし作品です。

〈著者略歴〉
植松三十里（うえまつ　みどり）
静岡市出身。東京女子大学史学科卒業。出版社勤務、７年間の在米生活、建築都市デザイン事務所勤務などを経て、作家に。2003年に『桑港にて』で歴史文学賞、09年に『群青 日本海軍の礎を築いた男』で新田次郎文学賞、『彫残二人』（文庫化時に『命の版木』と改題）で中山義秀文学賞を受賞。
著書に、『帝国ホテル建築物語』『大正の后』『調印の階段』『かちがらす』『ひとり白虎』『大和維新』『繭と絆』『空と湖水』などがある。

梅と水仙

2020年1月14日　第１版第１刷発行

著　者　植松三十里
発行者　後藤淳一
発行所　株式会社ＰＨＰ研究所
東京本部　〒135-8137　江東区豊洲5-6-52
第三制作部文藝課　☎03-3520-9620（編集）
普及部　☎03-3520-9630（販売）
京都本部　〒601-8411　京都市南区西九条北ノ内町11
PHP INTERFACE　https://www.php.co.jp/
組　版　有限会社エヴリ・シンク
印刷所　株式会社精興社
製本所　東京美術紙工協業組合

ISBN978-4-569-84566-1

PHP文芸文庫

調印の階段

不屈の外交・重光葵（まもる）

植松三十里 著

日本史上、もっとも不名誉な〝仕事〟を買って出た男——降伏文書への調印を行なった外交官・重光葵の激動の生涯を描いた長篇小説。

定価 本体七八〇円（税別）

PHP文芸文庫

大正の后(きさき)

昭和への激動

植松三十里 著

妻として大正天皇を支え、母として昭和天皇を見守り続けた貞明皇后。その感動の生涯と家族との絆を描いた著者渾身の長編小説。

定価 本体八八〇円(税別)

PHPの本

帝国ホテル建築物語

植松三十里　著

日本を代表するホテルを！　世界的建築家フランク・ロイド・ライトによる帝国ホテル本館建設を巡る、男たちの闘いを描いた長編小説。

定価　本体一、八〇〇円（税別）